DA TOLERÂNCIA

DA TOLERÂNCIA

Michael Walzer

Tradução
ALMIRO PISETTA

Martins Fontes
São Paulo 1999

Esta obra foi publicada originalmente em inglês com o título
ON TOLERATION por Yale University Press.
Copyright © 1997 by Yale University.
Copyright © Livraria Martins Fontes Editora Ltda.,
São Paulo, 1999, para a presente edição.

1ª edição
julho de 1999

Tradução
ALMIRO PISETTA

Revisão da tradução
Silvana Vieira
Revisão gráfica
Maria Sylvia Castro de Azevedo Correa
Lígia Silva
Produção gráfica
Geraldo Alves
Paginação/Fotolitos
Studio 3 Desenvolvimento Editorial (6957-7653)

Dados Internacionais de Catalogação na Publicação (CIP)
(Câmara Brasileira do Livro, SP, Brasil)

Walzer, Michael
    Da tolerância / Michael Walzer ; tradução Almiro Pisetta. – São
Paulo : Martins Fontes, 1999.

    Título original: On toleration.
    Bibliografia.
    ISBN 85-336-1036-X

    1. Direitos humanos 2. Multiculturalismo 3. Pluralismo
(Ciências sociais) 4. Tolerância I. Título.

99-1559   CDD-179.9

Índices para catálogo sistemático:
1. Tolerância : Ética   179.9

Todos os direitos para a língua portuguesa reservados à
Livraria Martins Fontes Editora Ltda.
Rua Conselheiro Ramalho, 330/340
01325-000 São Paulo SP Brasil
Tel. (011) 239-3677 Fax (011) 3105-6867
e-mail: info@martinsfontes.com
http://www.martinsfontes.com

Algumas partes deste livro foram apresentadas
como as Palestras Castle,
proferidas por Michael Walzer em 1996,
dentro do Programa de Ética, Política e Economia
da Universidade de Yale.

As Palestras Castle foram dotadas pelo
sr. John K. Castle. Prestam homenagem
a seu antepassado, o rev. James Pierpont,
um dos fundadores de Yale.
Proferidas por figuras públicas de renome, as
Palestras Castle visam a promover a reflexão
sobre os fundamentos morais da sociedade
e do governo e ampliar o
entendimento de questões éticas
que o cidadão enfrenta
em nossa complexa
sociedade
moderna.

Para a próxima geração
SARAH e JOHN
REBECCA e KEITH
e a seguinte
JOSEPH
e
KATYA

Índice

Na condição de judeu norte-americano, cresci vendo a mim mesmo como um objeto de tolerância. Só muito mais tarde me reconheci também como um sujeito, um agente solicitado a tolerar outros, inclusive concidadãos judeus cujas idéias sobre o que significa ser judeu diferiam radicalmente das minhas. Minha noção incipiente sobre os Estados Unidos como um país onde todos tinham de tolerar a todos (uma fórmula que explicarei mais adiante) foi o ponto de partida deste ensaio. Levou-me a refletir sobre em que os outros países são diferentes, e apenas em alguns casos intoleravelmente diferentes. Os Estados Unidos não são todo o mundo!

Tolerar e ser tolerado tem algo do governar e ser governado de Aristóteles: é a tarefa dos cidadãos democráticos. Não acho que seja uma tarefa fácil nem insignificante. A própria tolerância é, muitas vezes, subestimada, como se fosse o mínimo que podemos fazer por nossos semelhantes, o menor de seus mínimos direitos. De fato, a tolerância como atitude assume muitas formas diferentes, e a tolerância como prática pode ser organizada de diferentes maneiras*. Até as modalidades mais tacanhas e os arranjos mais precários são coisas muito boas, tão raras na história humana que exigem uma apreciação não apenas prática mas também teórica. Como acontece com outras coisas a que damos valor, devemos perguntar o que sustenta a tolerância e como ela funciona: esse é o principal objetivo deste ensaio. Quero aqui apenas sugerir o que a tolerância sustenta. Ela sustenta a própria vida, porque a perseguição muitas vezes visa à morte, e também sustenta as vidas comuns, as diferentes comunidades em que vivemos. A tolerância torna a diferença possível; a diferença torna a tolerância necessária.

Uma defesa da tolerância não precisa ser uma defesa da diferença. Pode ser, e muitas vezes é, apenas uma argumentação que se faz necessária. Mas escrevo aqui com uma profunda consideração pela diferença, embora não por todas as suas ocorrências. Na vida social, política e cultural, prefiro o plural ao singular. Ao mesmo tempo, reconheço que cada regime de tolerância deve ser até certo ponto singular e unificado, capaz de garantir a lealdade de seus membros. A coexistência requer um arranjo politicamente estável e moralmente legítimo, e isso também é um objeto de valor. É possível imaginar que exista um único arranjo

---

* O autor distingue *tolerance* de *toleration*. Aquela indica uma atitude; esta, uma prática. Na tradução usaremos *tolerância como atitude* para *tolerance* e simplesmente *tolerância* para *toleration*. A rigor, a palavra *tolerance* só aparece três ou quatro vezes no ensaio. (N. do T.)

ótimo entre todos os possíveis, mas tendo a duvidar dessa proposição. Apresentarei argumentos contrários a ela na introdução. Seja como for, limito-me a fazer uma descrição de algumas possibilidades para depois analisar e defender aquela que parece a melhor aqui e agora para nós, norte-americanos no limiar do século XXI – aquela que melhor se adapta a nossa pluralidade concreta e também a reforça e amplia.

DA TOLERÂNCIA

Como escrever sobre a tolerância

A argumentação filosófica com freqüência tem assumido nos últimos anos uma forma procedimentalista: o filósofo imagina uma posição original, uma situação ideal de discurso, ou uma conversação numa nave espacial. Cada uma dessas ocasiões é constituída por um conjunto de restrições, de regras de compromisso, por assim dizer, para as partes envolvidas. As partes representam os restantes de nós. Raciocinam, negociam ou conversam atendo-se às restrições, concebidas para impor os critérios formais de qualquer moralidade: imparcialidade absoluta ou algum equivalente funcional disso. Supondo que a imposição seja bem-sucedida, é plausível considerar as conclusões a que chegam as partes como sendo dotadas de autoridade moral. Estamos munidos, assim, de princípios norteadores em todos os nossos raciocínios, negociações e conversas concretas – na verdade, todas as nossas atividades econômicas, sociais ou políticas – nas condições do mundo real. Dentro de nossas possibilidades, devemos efetivar esses princípios em nossas próprias vidas e em nossas sociedades[1].

Nas páginas que seguem, adotei uma abordagem diferente, que pretendo explicar e defender nesta breve introdução. Não vou tentar uma argumentação filosófica sistemática, embora no conjunto do ensaio todas as características necessárias dessa argumentação devam aparecer pelo menos uma vez: os leitores encontrarão algumas indicações e premissas metodológicas genéricas aqui, e depois uma ilustração ampliada com exemplos históricos, uma análise de problemas práticos e uma conclusão experimental e incompleta, que é tudo o que a abordagem permite. Meu tema é a tolerância – ou, talvez melhor, a coexistência pacífica de grupos de pessoas com histórias, culturas e identidades diferentes, que é o que a tolerância possibilita. Começo pela proposição de que a coexistência pacífica (de um certo tipo: não estou tratando aqui da coexistência de senhores e escravos) é sempre uma coisa boa. Não porque as pessoas de fato sempre lhe dão valor – é óbvio que muitas vezes não o fazem. O sinal de que é boa é o fato de as pessoas sentirem-se tão fortemente inclinadas a dizer que lhe dão valor. Elas não conseguem justificar-se, nem para si mesmas nem perante os outros, sem endossar o valor da coexistência pacífica e da vida e

---

1. Escrevi sobre essa abordagem de maneira crítica em "A Critique of Philosophical Conversation", em Michael Kelly (org.), *Hermeneutics and Critical Theory in Ethics and Politics* (Cambridge, Mass.: MIT Press, 1990), pp. 182-96. Cf. a réplica de Georgia Warnke em "Reply", pp. 197-203 do mesmo livro, que apresenta uma defesa parcial da teoria de Jürgen Habermas.

liberdade a que ela serve². Este é um fato sobre o mundo moral – pelo menos no sentido limitado de que o peso da argumentação recai sobre aqueles que rejeitariam esses valores. São os praticantes da perseguição religiosa, da assimilação forçada, da guerra das cruzadas ou da "purificação étnica" que precisam se justificar, e geralmente se justificam não defendendo o que fazem, mas negando que o fazem.

A coexistência pacífica, porém, pode assumir formas políticas muito diferentes, com diferentes implicações para a vida moral cotidiana – isto é, para as interações concretas e envolvimentos mútuos de homens e mulheres. Nenhuma dessas formas é universalmente válida. Além da reivindicação minimalista do valor da paz com suas regras implícitas de transigência (que equivalem, grosso modo, à descrição-padrão dos direitos humanos básicos), não há princípios que regulem todos os regimes de tolerância ou que nos obriguem a agir em todas as circunstâncias, em todas as épocas e lugares, em nome de um conjunto particular de arranjos políticos ou constitucionais. Argumentações procedimentalistas não nos ajudam neste caso preciso por não serem diferenciadas pelo tempo e pelo espaço. Não são propriamente circunstanciais. A alternativa que pretendo defender é uma descrição histórica e contextualizada da tolerância e da coexistência, que examine as diferentes formas que estas assumiram na realidade e as normas do dia-a-dia próprias de cada uma delas. Faz-se necessário observar tanto as versões ideais des-

---

2. Thomas Scanlon explica por que opiniões dessa natureza são importantes em "Contractualism and Utilitarianism", em Amartya Sen e Bernard Williams (orgs.), *Utilitarianism and Beyond* (Cambridge: Cambridge University Press, 1982), esp. p. 116.

ses arranjos práticos quanto as suas típicas distorções historicamente documentadas. Também precisamos considerar como os arranjos são percebidos por diferentes participantes – quer se trate de grupos ou de indivíduos, de quem se beneficia ou de quem é prejudicado – e depois como são vistos por pessoas de fora, participantes de outros regimes de tolerância.

Mas será que isso não é simplesmente uma análise positivista ou, pior ainda, relativista? Se não houver uma opinião superior ou um participante autorizado, como poderemos chegar a um padrão crítico? Como poderemos classificar e ordenar os diferentes regimes? Não me proponho a fazê-lo, e não sinto nenhuma ansiedade por causa disso. Não me parece plausível que os vários tipos de arranjos políticos que vou considerar – impérios multinacionais e Estados-nações, por exemplo, ou os seus exemplos históricos (a Alexandria ptolemaica ou romana, o Império Otomano, o Império Austro-Húngaro dos Habsburgos, a França, a Itália e a Noruega da atualidade, e assim por diante) – possam ser classificados numa série única, como se pudéssemos atribuir a cada caso uma quantidade de valor moral: sete, dezenove, ou trinta e um e meio.

Podemos afirmar, sem dúvida, que um arranjo que tende a degenerar em perseguição e guerra civil é pior do que outro mais estável. Mas não podemos afirmar que um arranjo que favoreça, por exemplo, a sobrevivência de grupos em detrimento da liberdade dos indivíduos seja sempre inferior a outro que favoreça a liberdade em detrimento da sobrevivência grupal – pois os grupos são constituídos de indivíduos, muitos dos quais, decerto, escolheriam livremente o primeiro tipo de arranjo, preterindo o segundo. Também não podemos dizer que a neutralidade do Estado e a associação voluntária, segundo o modelo da "Carta sobre a tolerância" de John Locke, seja a única ou melhor maneira de lidar com o pluralismo religioso e étnico. É uma maneira muito boa, que foi adaptada à experiência das congregações protestantes em certos tipos de sociedade, mas sua eficiência fora dessa experiência e daquelas sociedades precisa ser provada; não pode ser simplesmente presumida. Ataques radicais à liberdade individual e aos direitos de associação podem ser facilmente condenados, assim como acontece com as objeções militares e políticas (mas não intelectuais) à sobrevivência de um determinado grupo: são incoerentes com a coexistência mínima. Além disso, comparações entre vários tipos de arranjos são moral e politicamente úteis quando consideramos onde estamos e quais são as alternativas de que dispomos, mas elas não produzem juízos dotados de autoridade.

O valor de uma descrição cuidadosa e circunstanciada dos diferentes regimes de tolerância, tanto em sua versão ideal quanto na concreta, reside simplesmente nessa utilidade. Pois, embora os regimes constituam totalidades políticas e culturais, com suas vantagens e desvantagens intimamente interligadas, não são totalidades orgânicas. Isso não quer dizer que, se algumas de suas ligações internas fossem rompidas ou rearranjadas, o regime estaria condenado à morte política. Nem todas as reformas são transformações, e mesmo as transformações podem ser realizadas de modo gradativo, no decorrer de longos períodos de tempo. Conflitos e problemas são características fatais de qualquer processo dessa natureza, mas não as rupturas e colapsos. Se este ou aquele aspecto de um arranjo *ali* parece ser útil *aqui*, feitas as devidas modificações, podemos trabalhar para uma reforma nesse sentido, visando ao que é melhor para nós, levando em conta os grupos a que damos valor e os indivíduos que somos.

Não é possível, porém, tomar todas as características mais "bonitas" de cada um dos diferentes arranjos e combiná-las entre si – supondo que, dada a sua semelhante beleza (o apelo que exercem a nossos olhos), elas de fato se ajustarão no conjunto, criando uma unidade eficaz e harmoniosa. Algumas vezes pelo menos, e talvez até com muita freqüência, as coisas que admiramos num determinado arranjo histórico estão funcionalmente relacionadas às coisas que tememos ou de que não gostamos[3]. É um exemplo do que poderíamos chamar de "utopismo ruim" imaginar que podemos reproduzir ou imitar as primeiras e evitar as segundas. A filosofia deve ser historicamente informada e sociologicamente competente se quiser evitar o utopismo ruim e reconhecer as duras escolhas que muitas vezes se exigem na vida política. Quanto mais duras forem as escolhas, tanto menor será a probabilidade de que uma solução, e apenas uma, tenha sua aprovação filosófica garantida. Talvez devêssemos escolher desse modo aqui e daquele outro ali, desse modo agora e daquele outro em algum momento futuro. Talvez todas as nossas escolhas devessem ser provisórias e experimentais, sempre sujeitas a revisão ou até reversão.

A idéia de que nossas escolhas não são determinadas por um único princípio universal (ou um conjunto de princípios interligados), e de que a escolha certa aqui talvez não seja igualmente certa ali, é, rigorosamente falando, uma idéia relativista. O melhor ar-

---

3. Stuart Hampshire, *Morality and Conflict* (Cambridge, Mass.: Harvard University Press, 1983), pp. 146-8.

ranjo político é relativo à história e cultura do povo cujas vidas ele irá arranjar. Esse ponto me parece óbvio. Mas não estou defendendo um relativismo irrestrito, pois nenhum arranjo, nenhum traço típico de um arranjo, é uma opção moral se não oferecer alguma versão de coexistência pacífica (e assim sustentar os direitos humanos básicos). Escolhemos dentro de limites, e minha suspeita é a de que a verdadeira dissensão entre os filósofos não está em saber se tais limites existem – ninguém acredita seriamente no contrário –, mas sim em saber até onde se estendem. A melhor maneira de avaliar essa extensão é descrever uma gama de opções e mostrar a plausibilidade e as limitações de cada uma dentro de seu contexto histórico. Não tenho muito a dizer sobre os arranjos que ficam inteiramente excluídos – os monolíticos regimes religiosos ou de caráter político totalitário. Basta mencioná-los e chamar a atenção dos leitores para a sua realidade histórica. Comparada com essa realidade, a coexistência pacífica é sem dúvida um princípio moral importante e substantivo.

Argumentar que se deve permitir a coexistência pacífica de grupos e/ou indivíduos diferentes não é argumentar que se devem tolerar todas as diferenças concretas ou imagináveis. Os diferentes arranjos que vou descrever são de fato diferentemente tolerantes em relação a práticas que a maioria de seus participantes acham estranhas ou repugnantes – e também, é óbvio, diferentemente tolerantes em relação aos homens e mulheres que as praticam. Podemos, portanto, classificar os diferentes arranjos, os diferentes regimes de tolerância, como sendo mais ou menos tolerantes, e até estabelecer (com muitas ressalvas históricas) uma classificação em ordem crescente. Mas, quando observarmos com cuidado algumas das práticas em questão, logo ficará evidente que não se trata de uma classificação moral. A tolerância de práticas problemáticas varia entre os diferentes regimes de forma complexa, e os juízos que formulamos sobre a variação tendem a ser igualmente complexos.

Pretendo demonstrar essa complexidade em minhas descrições dos diferentes regimes e dos problemas que enfrentam – e depois, novamente, nas especulações sobre os Estados Unidos de hoje, com o que termina este ensaio. As formas de coexistência nunca foram tão amplamente debatidas quanto nos dias atuais, porque a proximidade da diferença, o encontro diário com a alteridade, nunca foi tão amplamente sentida. Vendo televisão ou lendo os jornais, poderíamos ter a impressão de que essa experiência é cada vez mais parecida pelo mundo afora. Talvez sejamos tentados a formular uma única resposta. Todavia, até mesmo encontros e transações muito semelhantes são necessariamente diferenciados quando envolvem grupos diferentes de pessoas e quando afetam homens e mulheres com histórias e expectativas diferentes. A experiência é sempre fatalmente mediada pela cultura, e procurei respeitar a diferença causada por essa mediação. Sugiro portanto minha própria visão de como as coisas deveriam ser, como a convivência pacífica poderia ser mais bem estruturada, apenas fazendo referência ao meu tempo e lugar, à minha realidade norte-americana. No fim deste ensaio, entro de modo tentativo e experimental no debate sobre o "multiculturalismo"[4]. Mas não creio que esse debate tenha uma

---

4. Talvez seja proveitoso elencar aqui algumas das contribuições para este debate nas quais meu trabalho se inspirou: John Higham, *Strangers in the Land: Patterns of American Nativism 1860-*

importância universal ou histórico-mundial ou que suas conclusões tenham mais do que um valor heurístico. No mundo de hoje, todos podem aprender com este engajamento particular com a diferença, mas ninguém aprenderá bastante se não se familiarizar com muitos outros engajamentos.

Uma observação final: minha familiaridade com outros engajamentos é limitada, como a de todo o mundo. A argumentação deste ensaio foi elaborada sobretudo através de exemplos da Europa, da América do Norte e do Oriente Médio. Terei de contar com outras pessoas para saber se, ou em que medida, a argumentação serve para as realidades da América Latina, da África e da Ásia.

1925, 2ª ed. (New Brunswick, N.J.: Rutgers University Press, 1988); Orlando Patterson, *Ethnic Chauvinism: The Reactionary Impulse* (Nova York: Stein and Day, 1977); Stephen Steinberg, *The Ethnic Myth: Race, Ethnicity, and Class in America* (Boston: Beacon, 1981); Arthur M. Schlesinger, Jr., *The Disuniting of America* (Nova York: Norton, 1992); David Hollinger, *Postethnic America* (Nova York: Basic Books, 1995); Todd Gitlin, *The Twilight of Common Dreams* (Nova York: Henry Holt, 1995); e Charles Taylor, *Multiculturalism and "the Politics of Recognition"* (Princeton, N.J.: Princeton University Press, 1994). Taylor é um vizinho muito próximo, e sua defesa da "diversidade profunda" no Canadá ocupa um lugar central em minha análise dos Estados Unidos.

CAPÍTULO UM

Atitudes pessoais e arranjos políticos

Sempre comece pelo lado negativo, ensinou-me certa vez um antigo professor. Diga a seus leitores o que você não pretende fazer. Isso tira um peso de suas cabeças, e eles se sentirão mais dispostos a aceitar um projeto aparentemente modesto. Assim, vou começar esta defesa da tolerância fazendo duas distinções negativas. Não tratarei da tolerância dos indivíduos dissidentes ou excêntricos no âmbito da sociedade civil ou do Estado. É possível que os direitos individuais estejam na raiz de todos os tipos de tolerância, mas estou interessado nesses direitos primordialmente quando exercidos em comum (no processo de associações voluntárias, cultos religiosos, expressões culturais ou autogestões comunitárias) ou quando exigidos por grupos em nome de seus membros. O indivíduo excêntrico, solitário em sua diferença, é bastante fácil de tolerar e, ao mesmo tempo, a repugnância social pela excentricidade e a resistência a ela, embora sejam sem dúvida pouco atraentes, não são muito perigosas. Os riscos são muito maiores quando lidamos com grupos dissidentes e excêntricos.

Também não tratarei aqui da tolerância política, quando os grupos envolvidos constituem movimentos e partidos opostos. Competindo pelo poder político, eles são indispensáveis ao regime democrático, que literalmente exige a presença de líderes alternativos (com programas alternativos), mesmo que nunca cheguem de fato a ganhar uma eleição. São co-participantes, assim como os membros do time adversário num jogo de basquete. Sem eles não há jogo e por isso eles têm direito a fazer cestas e vencer, se puderem. Só há problemas quando as pessoas querem interromper o jogo ou acabar com ele, reivindicando ao mesmo tempo os direitos de jogadores e a proteção das regras. Esses problemas muitas vezes são difíceis, mas pouco têm a ver com a tolerância da diferença, que é intrínseca à política democrática. Têm mais a ver com a tolerância da ruptura (ou o risco de ruptura), que é um assunto totalmente diverso.

Também não constitui intolerância com a diferença o fato de se proibir um partido com programa antidemocrático de participar de eleições democráticas. É apenas uma questão de prudência. As questões de intolerância surgem muito mais cedo, antes mesmo de o poder estar em jogo, quando se formam as comunidades religiosas ou os movimentos ideológicos que geram tal partido. Naquele estágio, seus membros simplesmente vivem entre nós, sendo diferentes de forma iliberal e antidemocrática. Deveríamos tolerar seus ensinamentos e atividades? Se a resposta for afirmativa (como creio), até que ponto deveria chegar nossa tolerância?

Minha preocupação, portanto, diz respeito à tolerância quando as diferenças em questão são culturais, religiosas, ou diferenças no modo de vida – quando os outros não são co-participantes e não há um jogo comum ou uma necessidade intrínseca para as diferenças que eles cultivam e praticam. Nem mesmo uma sociedade liberal exige uma multiplicidade de grupos étnicos ou de comunidades religiosas. Sua existência e até mesmo sua prosperidade são inteiramente compatíveis com a homogeneidade cultural. Contrariando, porém, esta última asserção argumentou-se recentemente que o ideal liberal da autonomia individual só pode ser concretizado numa sociedade "multicultural", onde a presença de culturas diferentes permite escolhas significativas[1]. Contudo, os indivíduos autônomos podem muito bem escolher entre empregos e profissões; entre possíveis amigos e parceiros no casamento; entre doutrinas, partidos e movimentos políticos; entre padrões de vida urbana, suburbana e rural; entre formas culturais muito, meio ou pouco intelectualizadas, e assim por diante. Parece não haver razão que impeça a autonomia de encontrar espaço suficiente no seio de um único grupo cultural.

Grupos dessa espécie também não requerem, como acontece com os partidos políticos democráticos, a existência de outros grupos da mesma espécie. Onde o pluralismo é um fato social, como em geral ocorre, alguns grupos irão competir com outros procurando adesões ou partidários entre os indivíduos independentes ou sem convicções profundas. Mas seu objetivo primário é garantir um modo de vida entre seus próprios membros, reproduzir sua cultura ou fé em su-

---

1. Joseph Ratz, "Multiculturalism: a Liberal Perspective", em *Dissent* (inverno de 1994): 67-9.

cessivas gerações. Voltam-se em primeira instância para dentro, e é isso precisamente o que os partidos políticos não podem fazer. Ao mesmo tempo, requerem algum tipo de espaço social ampliado (fora de sua casa) para reuniões, cultos, debates, celebrações, serviços de apoio mútuo, escolas e assim por diante.

Mas o que significa tolerar grupos dessa espécie? Entendida como uma atitude ou estado de espírito, a tolerância descreve algumas possibilidades. A primeira delas, que remonta às origens da tolerância religiosa nos séculos XVI e XVII, é simplesmente uma resignada aceitação da diferença para preservar a paz. As pessoas vão se matando durante anos e anos, até que, felizmente, um dia a exaustão se instala, e a isso denominamos tolerância[2]. Mas é possível identificar um *continuum* de aceitações mais substantivas. Uma segunda atitude possível é passiva, descontraída, bondosamente indiferente à diferença: "Tem lugar para tudo no mundo." Uma terceira decorre de uma espécie de estoicismo moral: um reconhecimento baseado no princípio de que os "outros" têm direitos, mesmo quando exercem tais direitos de modo antipático[3]. Uma quarta

---

2. Essa exaustão, e os cálculos prudenciais que ela permite, tem seu melhor exemplo nas *politiques* da França do século XVI. Ver a breve análise em Quentin Skinner, *The Foundations of Modern Political Thought*, vol. 2: *The Age of Reformation* (Cambridge: Cambridge University Press, 1978), pp. 249-54.

3. Muitos filósofos restringiriam a tolerância exclusivamente a essa atitude, uma visão que corresponde a alguns usos da palavra e capta uma certa relutância geralmente atribuída à prática da tolerância. Mas essa interpretação omite inteiramente o entusiasmo de muitos dos primeiros defensores da tolerância. Ver David Heyd (org.), *Toleration: An Elusive Virtue* (Princeton, N.J.: Princeton University Press, 1996), especialmente a introdução de Heyd e o ensaio de abertura de Bernard Williams.

expressa abertura para com os outros; curiosidade, talvez respeito, uma disposição de ouvir e aprender. E, no ponto mais avançado do *continuum*, está o endosso entusiástico da diferença. É um endosso estético, se a diferença for tomada como a representação cultural da grandeza e diversidade da criação divina ou do mundo natural. É um endosso funcional, se a diferença for vista, como na liberal argumentação multiculturalista, como uma condição necessária para a prosperidade humana, aquela que possibilita a cada homem e mulher as escolhas que dão significado a sua autonomia[4].

Mas essa última atitude talvez extrapole os limites de meu tema: como se pode dizer que tolero aquilo que de fato endosso? Se quero que os outros estejam aqui, nesta sociedade, entre nós, então não estou tolerando, mas sim apoiando a alteridade. Contudo, não apóio necessariamente esta ou aquela versão da alteridade. Posso muito bem preferir um outro outro, um que, do ponto de vista religioso ou cultural, seja mais próximo de minhas crenças e práticas (ou, talvez, mais distante, exótico, que não constitua nenhuma ameaça competitiva). Em qualquer sociedade pluralista sempre haverá pessoas, por mais firme que seja seu compromisso com o pluralismo, para as quais será muito difícil conviver com alguma diferença particular – talvez uma forma de culto, de organização familiar, uma dieta alimentar, uma prática sexual ou um modo de vestir. Embora defendam a idéia da diferença, essas pessoas apenas toleram as diferenças concretas. Mas mesmo pessoas que não sentem essa dificuldade são chama-

---

4. Para uma análise histórica que revela todas essas atitudes, ver Wilbur K. Jordan, *The Development of Religious Toleration in England*, 4 vols. (Cambridge: Cambridge University Press, 1932-40).

das de tolerantes. São aquelas que aceitam homens e mulheres cujas crenças não adotam, cujas práticas se recusam a imitar. Convivem com uma alteridade que, por mais que aprovem sua presença no mundo, é diferente daquilo que conhecem, algo de fora e estranho. Dos que são capazes de agir assim direi, sem levar em conta sua posição no *continuum* da resignação, indiferença, aceitação estóica, curiosidade e entusiasmo, que se trata de pessoas que possuem a virtude da tolerância.

Como veremos, qualquer regime de tolerância bem-sucedido caracteriza-se por não depender de uma forma específica dessa virtude, não requer que todos os participantes se situem no mesmo ponto do *continuum*. Pode acontecer que alguns regimes lidem mais facilmente com a resignação, a indiferença ou o estoicismo, ao passo que outros precisam encorajar a curiosidade ou o entusiasmo, mas não vejo de fato nenhuma tendência sistemática nesse sentido. Nem mesmo a diferença entre os regimes mais coletivistas e os mais individualistas se reflete nas atitudes por eles exigidas. Mas não será a tolerância mais estável se as pessoas ocuparem um ponto mais avançado no *continuum*? Será que as escolas públicas, por exemplo, não deveriam tentar fazer com que as pessoas avançassem? Na verdade, qualquer uma dessas atitudes, firmemente estabelecida, irá estabilizar a tolerância. O melhor programa de educação poderia simplesmente envolver uma descrição gráfica das guerras religiosas ou étnicas. Não há dúvida de que as relações pessoais que atravessam fronteiras culturais seriam melhoradas se as pessoas avançassem para além da tolerância mínima que as descrições gráficas da intolerância visam a produzir. Isso, porém, se aplica em todos os regimes.

Em qualquer um deles, o sucesso político depende de boas relações pessoais. No fim, contudo, devo indagar se essas asserções ainda são sustentáveis na emergente versão "pós-moderna" da tolerância.

Por ora, tratarei todos os arranjos sociais que usamos para incorporar a diferença, conviver com ela e lhe permitir uma quota do espaço social, como formas institucionalizadas de uma virtude indiferenciada. Historicamente (no Ocidente), tem havido cinco arranjos políticos diferentes que contribuem para a tolerância, cinco modelos de sociedade tolerante. Não estou afirmando que a lista seja exaustiva, mas apenas que inclui as possibilidades mais interessantes e importantes. Regimes mistos também são possíveis, é óbvio. Mas agora quero descrever, de forma rudimentar, esses cinco regimes, combinando descrições históricas e tipicamente ideais. Examinarei depois alguns casos mistos, considerando os problemas que os diferentes arranjos enfrentam. Finalmente, direi alguma coisa sobre o mundo social e sobre como se vêem a si mesmos os homens e mulheres que hoje se toleram mutuamente (na medida em que realmente o fazem: a tolerância é sempre uma realização precária). Que fazemos exatamente quando toleramos a diferença?

CAPÍTULO DOIS

Cinco regimes de tolerância

Impérios multinacionais

Os arranjos mais antigos são aqueles dos grandes impérios multinacionais – começando, para nossos objetivos, pela Pérsia, o Egito ptolemaico e Roma. Aqui os vários grupos se constituem como comunidades autônomas ou semi-autônomas, de caráter político ou jurídico bem como cultural ou religioso, e uma auto-gestão que abrange uma gama considerável de suas atividades. Os grupos não têm outra escolha a não ser coexistir uns com os outros, uma vez que suas intera-ções são administradas por burocratas do império de acordo com um código imperial, como o *jus gentium* dos romanos, concebido para garantir alguma eqüidade mínima, segundo a concepção de eqüidade do centro imperial. Em regra, porém, os burocratas não interfe-rem na vida interna das comunidades autônomas, em nome da eqüidade ou seja lá o que for – desde que se paguem os tributos e se mantenha a paz. Pode-se dizer, portanto, que toleram os diferentes modos de vida, e o regime imperial pode ser chamado de regime de tolerância, quer os membros das diferentes comunidades sejam ou não tolerantes entre si.

Sob o domínio imperial, os membros, de bom ou mau grado, manifestarão tolerância em (quase todas) suas interações do dia-a-dia, e talvez alguns deles aprendam a aceitar a diferença e passem a ocupar algum ponto do *continuum* que já descrevi. Mas a sobrevivência das diferentes comunidades não depende dessa aceitação. Depende apenas da tolerância oficial, que se mantém sobretudo em nome da paz – embora algumas autoridades individuais tenham tido outras motivações, alguns demonstrando-se notoriamente curiosos acerca da diferença e até a defendendo com entusiasmo[1]. Esses burocratas imperiais são com freqüência acusados de seguir a política de "dividir para dominar", e às vezes essa é de fato sua política. Mas é pouco lembrar que eles não são os autores das divisões que exploram e que o povo que dominam quer ser dividido e dominado, mesmo que seja apenas em nome da paz.

O domínio imperial é historicamente a forma mais bem-sucedida de incorporar a diferença e facilitar (exigir é um termo mais preciso) a coexistência pacífica. Mas não é, ou pelos menos nunca foi, uma forma

---

1. Os primeiros exemplos do que veio a ser a disciplina acadêmica da antropologia provêm do trabalho de funcionários imperiais. Vejam-se, por exemplo, a carreira e os escritos de Tácito, administrador de uma província de Roma, conforme descritos por Moses Hadas em sua introdução a *The Complete Works of Tacitus* (Nova York: Modern Library, 1942).

democrática ou liberal. Não importa qual seja a natureza das diferentes "autonomias", o regime incorporador é autocrático. Não quero idealizar essa autocracia, que pode ser brutalmente repressiva sob o pretexto de preservar conquistas – como amplamente demonstram as histórias da Babilônia e Israel, de Roma e Cartago, da Espanha e dos astecas, da Rússia e dos tártaros. Mas o domínio imperial estabelecido é muitas vezes tolerante – tolerante precisamente por ser em toda parte autocrático (não se sujeitando aos interesses ou preconceitos de quaisquer dos grupos conquistados, eqüidistante de todos eles). Os procônsules romanos no Egito ou os regentes britânicos na Índia, apesar de todos os seus preconceitos e da corrupção endêmica de seus regimes, provavelmente governavam de forma mais imparcial do que qualquer príncipe ou tirano local talvez o fizesse – de fato, mais imparcialmente do que quaisquer maiorias locais de hoje tendem a fazer.

A autonomia imperial tende a prender os indivíduos em suas comunidades e, portanto, numa única identidade étnica ou religiosa. Tolera grupos e suas estruturas de autoridade e práticas de costume, mas não (exceto em algumas cidades cosmopolitas e nas capitais) homens e mulheres que circulam livremente. As comunidades incorporadas não são associações voluntárias; historicamente, não cultivam valores liberais. Embora haja algum movimento de indivíduos que cruzam as fronteiras (conversos e apóstatas, por exemplo), as comunidades são em geral fechadas, impondo uma ou outra versão de ortodoxia religiosa e preservando um modo de vida tradicional. Enquanto estiverem protegidas contra as formas mais cruéis de perseguição e tenham permissão para administrar seus próprios assuntos, as comunidades dessa espécie têm uma extraordinária resistência. Mas podem ser muito cruéis para com indivíduos transviados, que são vistos como ameaças à sua coesão e às vezes à sua própria sobrevivência.

Assim, os dissidentes solitários e os hereges, os vagabundos da cultura, os casais culturalmente mistos e seus filhos fugirão para a capital do império, que em conseqüência disso tenderá a tornar-se um lugar bastante liberal e tolerante (pensemos em Roma, em Bagdá e na Viena imperial, ou melhor, em Budapeste)[2] – o único lugar onde o espaço social é talhado sob medida para o indivíduo. Todos os outros cidadãos, inclusive todos os espíritos livres e os potenciais dissidentes que não se podem mudar por limitações econômicas ou responsabilidades familiares, irão morar em vizinhanças ou bairros homogêneos, sujeitando-se à disciplina de suas comunidades. Ali são tolerados coletivamente, mas não se sentirão bem nem sequer seguros do outro lado de qualquer linha que os separa dos outros. Podem misturar-se sem medo apenas em um espaço neutro – o mercado, por exemplo, ou os tribunais e as prisões do império. Mesmo assim, vivem a maior parte da vida em paz, um grupo ao lado do outro, respeitando fronteiras culturais e geográficas.

A antiga Alexandria oferece um exemplo útil daquilo que podemos considerar como uma versão im-

---

2. De fato, o cosmopolitanismo imperial se reproduziu em cidades muito menores, em centros locais como Ruschuk, cidade portuária às margens do Danúbio na Bulgária, onde Elias Canetti se criou. Sob o domínio otomano, Ruschuk se tornou uma cidade multicultural, habitada por búlgaros, judeus, gregos, albaneses, armênios e ciganos. Ver a descrição de Canetti em *The Tongue Set Free*, trad. Joachim Neugroschel (Nova York: Farrar, Straus and Giroux, 1979).

perial do multiculturalismo. A cidade era, aproxima-
damente, um terço grega, um terço judia e um terço
egípcia, e, durante os anos do domínio ptolemaico, a
coexistência dessas três comunidades parece ter sido
notavelmente pacífica[3]. Mais tarde, as autoridades ro-
manas favoreceram, de tempos em tempos, seus súditos gregos, talvez por razões de afinidade cultural, ou
talvez por causa de sua organização política superior
(apenas os gregos eram formalmente cidadãos), e esse
relaxamento da neutralidade imperial produziu na
cidade períodos de sangrentos conflitos. Movimentos
messiânicos entre os judeus de Alexandria, em parte
como reação à hostilidade romana, acabaram pondo
um triste fim à coexistência multicultural. Mas os séculos de paz apontam para as melhores possibilidades
do regime imperial. É interessante notar que, embora
as comunidades tenham permanecido distintas do
ponto de vista legal e social, havia entre elas uma significativa interação intelectual e comercial – donde
surgiu a versão helenística do judaísmo que foi criada, sob a influência de filósofos gregos, por escritores
alexandrinos como Filo. Essa proeza é inimaginável
fora desse contexto imperial.

O sistema *millet* dos otomanos sugere outra versão
do regime imperial de tolerância, mais duradouro e
marcado por um desenvolvimento mais completo[4].

---

3. Aqui me baseio em P. M. Fraser, *Ptolemaic Alexandria*, 3 vols.
(Oxford: Oxford University Press, 1972), esp. vol. 1, cap. 2, e Victor
Tcherikover, *Hellenistic Civilization and the Jews*, trad. S. Apple-
baum (Nova York: Atheneum, 1979), esp. pt. 2, cap. 2.

4. Ver Benjamin Braude e Bernard Lewis (orgs.), *Christians and
Jews in the Ottoman Empire: The Functioning of a Plural Society*, vol. 1:
The Central Lands (Nova York: Holmes and Meier, 1982) para a nar-
rativa histórica, e Will Kymlicka, "Two Models of Pluralism and

Nesse caso, as comunidades independentes eram de natureza puramente religiosa, e, como os próprios otomanos fossem muçulmanos, não eram de modo algum neutros em relação às religiões. A religião oficial do império era o islamismo, mas outras três comunidades religiosas – a ortodoxa grega, a ortodoxa armênia e a judaica – tinham permissão para formar organizações autônomas. Essas três comunidades eram iguais entre si, sem se levar em conta sua força numérica relativa. Estavam sujeitas às mesmas restrições perante os muçulmanos – no que se refere à indumentária, ao proselitismo e a casamentos mistos, por exemplo – e podiam exercer o mesmo controle jurídico sobre seus membros. Os *millets* dessas minorias (a palavra *millet* significa comunidade religiosa) eram subdivididos com base em critérios étnicos, lingüísticos e regionais, e algumas diferenças de práticas religiosas eram portanto incorporadas no sistema. Mas os membros não tinham direitos de consciência ou de associação que fossem contrários a sua comunidade (e todos tinham de fazer parte de algum grupo). Havia, porém, uma tolerância maior junto às margens: assim, os integrantes da seita karaita, no seio do judaísmo, receberam independência fiscal dos otomanos no século XVI, mesmo não tendo a condição plena de um *millet*. Basicamente, repito, o império era condescendente com os grupos mas não com os indivíduos – a menos que os próprios grupos optassem pelo liberalismo (como aparentemente aconteceu com um *millet* protestante que se estabeleceu no final do período otomano).

Tolerance", em *Toleration: An Elusive Virtue,* pp. 81-105, para uma análise teórica do sistema *millet* como "um lembrete útil de que os direitos individuais não são a única forma de acomodar o pluralismo religioso".

Hoje, isso tudo é passado (a União Soviética foi o último dos impérios): as instituições autônomas, as fronteiras cuidadosamente preservadas, as carteiras de identidade com indicações étnicas, as capitais cosmopolitas e as vastas burocracias. A autonomia no fim não significou muito (o que constitui, talvez, uma das razões do declínio imperial). Seu alcance foi grandemente reduzido por influência das idéias modernas acerca da soberania e pelas ideologias totalizantes que não comportam a acomodação da diferença. Mas as diferenças étnicas e religiosas sobreviveram, e onde tinham uma base territorial, agências locais, mais ou menos representativas, preservaram algumas funções mínimas e alguma autoridade simbólica. Rapidamente conseguiram converter-se, após a queda dos impérios, numa espécie de máquina de Estado conduzida por uma ideologia nacionalista e passaram então a aspirar ao poder soberano – enfrentando, com muita freqüência, as minorias locais estabelecidas, que eram os grandes beneficiários do regime imperial e seus últimos e mais valentes defensores. Com a soberania veio, naturalmente, o ingresso na comunidade internacional, a mais tolerante das sociedades mas, até bem recentemente, de acesso não muito fácil. Tratarei da sociedade internacional apenas de modo secundário e rápido neste ensaio, mas é importante reconhecer que a maioria dos grupos com base territorial prefeririam ser tolerados como Estados-nações distintos (ou como repúblicas religiosas) com governo, exército e fronteiras – coexistindo com outros Estados-nações em mútuo respeito ou, pelo menos, sob o domínio de um conjunto comum de leis (mesmo que raramente postas em vigor).

Sociedade internacional

A sociedade internacional é aqui uma anomalia porque obviamente não é um regime doméstico. Há quem diga que não é nem sequer um regime, mas antes uma condição anárquica e sem leis. Se isso fosse verdade, essa seria uma condição de absoluta tolerância: vale tudo, nada é proibido, pois ninguém está autorizado a proibir (ou permitir), mesmo que muitos participantes anseiem por fazê-lo. De fato, a sociedade internacional não é anárquica; é um regime muito fraco, mas como regime é tolerante, apesar da intolerância de alguns Estados que a compõem. Todos os grupos que alcançam a condição de Estado e todas as práticas que eles permitem (dentro de limites que logo mencionarei) são tolerados pela sociedade de Estados. A tolerância é uma característica essencial da soberania e uma causa importante de sua atração.

A soberania garante que ninguém *daquele* lado da fronteira pode interferir nas atividades *deste* lado. As pessoas de lá podem ser resignadas, indiferentes, estóicas, curiosas ou entusiastas com referência às práticas daqui, e por isso talvez não se sintam propensas a interferir. Ou talvez aceitem a lógica recíproca da soberania: não nos incomodaremos com suas práticas, se vocês não se incomodarem com as nossas. Viva e deixe viver é uma máxima relativamente fácil quando a vida é levada em lados opostos de uma linha bem definida. Ou talvez sejam ativamente hostis, ansiosas por denunciar a cultura e os costumes de seus vizinhos, sem contudo estarem preparadas para pagar os custos da interferência. Dada a natureza da sociedade internacional, é provável que os custos sejam elevados: envolvem a formação de um exército, a violação de uma fronteira, matar e morrer.

Diplomatas e estadistas adotam em geral a segunda dessas atitudes. Aceitam a lógica da soberania, mas não podem simplesmente ignorar as pessoas e práticas que julgam intoleráveis. Precisam negociar com tiranos e assassinos e, o que é mais pertinente a nosso tema, precisam acomodar os interesses de países cuja cultura ou religião dominante perdoa, por exemplo, a crueldade, a opressão, a misoginia, o racismo, a escravidão ou a tortura. Quando os diplomatas apertam as mãos de tiranos ou com eles se sentam à mesa, estão, por assim dizer, usando luvas. As ações não têm importância moral. Mas os acordos firmados têm: são atos de tolerância. Em nome da paz ou porque acreditam que a reforma cultural ou religiosa deve vir de dentro, deve resultar de trabalho local, eles reconhecem o outro país como membro soberano da sociedade internacional. Reconhecem sua independência política e integridade territorial – que em conjunto constituem uma versão muito mais poderosa da autonomia comunitária mantida em impérios multinacionais.

Acordos e rotinas diplomáticos nos dão uma idéia do que poderíamos denominar a formalidade da tolerância. Essa formalidade ocupa um lugar, embora menos visível, na vida nacional, na qual muitas vezes coexistimos com grupos com os quais não temos e não queremos ter relações sociais estreitas. A coexistência é administrada por servidores públicos que também são diplomatas internos. Os funcionários públicos têm obviamente mais autoridade do que os diplomatas, e assim a coexistência que administram é mais controlada do que a dos Estados soberanos na sociedade internacional.

Mas a soberania também tem limites, que são estabelecidos de modo extremamente claro pela doutrina jurídica da intervenção humanitária. Atos ou práticas que "chocam a consciência da humanidade" não são, em princípio, tolerados[5]. Dado o fraco regime da sociedade internacional, tudo isso na prática significa que qualquer Estado-membro tem o direito de usar a força para deter o que está acontecendo, se o que está acontecendo for suficientemente hediondo. Os princípios de independência política e integridade territorial não protegem a selvageria. Mas ninguém é obrigado a usar a força. O regime não tem agentes cuja função seja reprimir práticas intoleráveis. Mesmo diante de uma brutalidade extensa e óbvia, a intervenção humanitária é inteiramente voluntária. As práticas do Khmer Vermelho no Camboja, para citar um exemplo fácil, eram moral e legalmente intoleráveis, e, como os vietnamitas decidiram invadir o país para detê-las, elas foram de fato intoleradas. Mas essa feliz coincidência entre o intolerável e o intolerado não é comum. A intolerância humanitária em geral não é suficiente para sobrepor-se aos riscos que a intervenção acarreta, e razões adicionais para a intervenção – sejam econômicas, geopolíticas ou ideológicas – só ocasionalmente se oferecem.

É possível imaginar um conjunto mais articulado de limites para a tolerância que acompanha a soberania: práticas intoleráveis em estados soberanos poderiam ocasionar sanções econômicas por parte de alguns ou de todos os membros da sociedade internacional. A imposição de um embargo parcial contra o *apartheid*

---

5. Sobre a demarcação desses limites, ver meu debate com David Luban em Charles Beitz, Marshall Cohen, Thomas Scanlon e A. John Simmons (orgs.), *International Ethics* (Princeton, N.J.: Princeton University Press, 1985), pp. 165-243.

da África do Sul é um exemplo útil, apesar de incomum. Condenação coletiva, rompimento de intercâmbios culturais e propaganda ativa também podem servir aos propósitos da intolerância humanitária, embora sanções dessa natureza raramente se mostrem eficazes[6]. Assim, podemos dizer que a sociedade internacional é tolerante por uma questão de princípios, e ainda mais tolerante, ultrapassando seus próprios princípios, por causa da fraqueza de seu regime.

Consociações

Antes de considerar o Estado-nação como uma sociedade possivelmente tolerante, quero focalizar com brevidade um herdeiro moralmente mais próximo, embora politicamente menos provável, do império multinacional – o Estado consociativo, ou seja, bi ou trinacional[7]. Exemplos como Bélgica, Suíça, Chipre, Líbano e a natimorta Bósnia sugerem tanto a variedade de possibilidades do caso quanto a iminência do desastre. O consocionismo é um programa heróico porque visa a manter a coexistência imperial sem os burocratas do império e sem a distância que transforma esses burocratas em governadores mais ou menos imparciais. Agora os diferentes grupos não são tolerados por um único poder transcendente; eles têm de tolerar uns aos outros e estabelecer entre si os termos de sua coexistência.

A idéia é atraente: trata-se da simples cooperação direta de duas ou três comunidades (na prática, de seus

---

6. Esses exemplos de intolerância que beiram a intervenção armada me foram sugeridos por John Rawls.

7. Ver Arend Lijphart, *Democracy in Plural Societies: A Comparative Exploration* (New Haven: Yale University Press, 1977).

líderes e elites) que é livremente negociada entre as partes. Estas concordam com um arranjo constitucional, designam instituições, dividem cargos e firmam um acordo político que protege seus interesses divergentes. Mas a consociação não é uma construção inteiramente livre. Em regra, as comunidades já viveram juntas (ou melhor, lado a lado) por um período de tempo muito longo antes de iniciarem suas negociações formais. Talvez de início estivessem unidas por um domínio imperial; talvez tenham se juntado pela primeira vez na luta contra esse domínio. Mas todas essas ligações são precedidas por uma proximidade: a coexistência no território, quando não nas mesmas aldeias, depois ao longo de uma fronteira mal definida e fácil de cruzar. Esses grupos já conversaram, negociaram, brigaram e fizeram as pazes nos níveis mais locais – mas sempre de olho na polícia ou no exército de algum dominador estrangeiro. Agora precisam apenas vigiar-se entre si.

Não é uma tarefa impossível. O sucesso é mais provável quando a consociação se antecipa ao surgimento de movimentos nacionalistas fortes e à mobilização ideológica das diferentes comunidades. As partes mais indicadas para negociá-la são as elites das antigas "autonomias", que em geral guardam entre si um genuíno respeito, têm um interesse comum pela estabilidade e pela paz (e, obviamente, pela contínua autoridade das elites), e estão dispostas a dividir o poder político. Mas os arranjos estabelecidos pelas elites, que refletem o tamanho e o poder econômico das comunidades associadas, passam a depender de agora em diante da estabilidade de sua base social. A consociação se afirma, por exemplo, na dominação constitucionalmente limitada de uma das partes ou na aproximada igualdade entre elas. Dividem-se cargos, estabelecem-se quotas para o serviço público e distribuemse verbas públicas – tudo com base nessa dominação limitada ou igualdade aproximada. Firmados esses entendimentos, cada grupo vive em relativa segurança, seguindo com seus próprios costumes, talvez até mesmo seu direito consuetudinário, e pode falar sua própria língua não apenas em casa mas também em seu espaço público próprio. As antigas tradições não foram perturbadas.

É o medo da desordem que põe fim às consociações. Digamos que uma mudança demográfica ou social mude a base, altere o equilíbrio de tamanho e força, ameace o padrão estabelecido de dominação ou igualdade, solape os velhos entendimentos. De repente, uma das partes parece perigosa aos olhos de todas as outras. A tolerância mútua depende de confiança, não tanto na boa vontade mútua quanto nos arranjos institucionais que protegem contra os efeitos da má vontade. Nessa altura, os arranjos estabelecidos entram em colapso, e a insegurança resultante impossibilita a tolerância. Não posso viver de modo tolerante lado a lado com um outro perigoso. De que tenho medo? Do perigo de que a consociação se transforme num Estado-nação comum onde serei membro da minoria, procurando a tolerância de meus ex-consociados, que já não precisam da minha.

O Líbano é um exemplo óbvio desse triste colapso de entendimentos consociativos, e norteou a descrição que acabo de apresentar. Mas no Líbano houve algo mais do que uma mudança social. Em princípio, a nova demografia ou a nova economia libanesa deveria ter conduzido a uma renegociação dos velhos arranjos, uma simples redivisão de cargos e fundos pú-

blicos. Mas as transformações ideológicas que acom-
panharam a mudança social dificultaram isso. O zelo
nacionalista e religioso e suas inevitáveis conseqüências, a desconfiança e o medo, converteram a renegociação numa guerra civil (e trouxeram os sírios como
pacificadores imperiais). Contra esse pano de fundo,
a consociação pode ser nitidamente identificada como
um regime pré-ideológico. A tolerância não está ex-
cluída quando o nacionalismo e a religião estão em
ação, e a consociação ainda pode ser sua forma moralmente preferida. Na prática, porém, o Estado-nação
torna-se agora o regime de tolerância mais provável:
um grupo, predominante em todo o país, moldando a
vida pública e tolerando uma minoria nacional ou religiosa – em vez de dois ou três grupos, cada um se-
guro em seu lugar, tolerando-se entre si.

Estados-nações

A maioria dos Estados que compõem a sociedade
internacional são Estados-nações. Denominá-los assim
não significa que eles tenham populações de nacionalidade (ou etnia ou religião) homogênea. A homogeneidade é rara, se é que existe, no mundo de hoje.
A denominação significa apenas que um único grupo
dominante organiza a vida da comunidade de modo
que ela reflita sua própria história e cultura e, quando
as coisas acontecem como se deseja, a história prossegue e a cultura é preservada. São esses desejos que
determinam o caráter da educação pública, os símbo-
los e cerimônias da vida pública, o calendário estatal
com seus feriados. No âmbito da história e das culturas, o Estado-nação não é neutro; seu aparato político

é uma máquina de reprodução nacional. Grupos nacionais buscam a condição de Estado justamente para poder controlar os meios de reprodução. Seus membros podem almejar muito mais – podem alimentar ambições que vão desde a expansão e dominação política até o crescimento econômico e a prosperidade interna. Mas o que justifica seus empreendimentos é a paixão humana pela sobrevivência ao tempo.

O Estado que esses membros criam consegue, apesar de tudo, a exemplo do que em geral fazem os Estados-nações liberais e democráticos, tolerar as minorias. Essa tolerância assume formas diferentes, embora poucas vezes alcance a autonomia plena dos velhos impérios. A autonomia regional é particularmente difícil de implementar, porque nesse caso os membros da nação dominante que moram na região estariam sujeitos a um domínio "estrangeiro" dentro de seu próprio país. Também não são comuns os arranjos corporativistas; o próprio Estado-nação é uma espécie de corporação cultural e reivindica um monopólio desses arranjos dentro de suas fronteiras.

Em regra, a tolerância nos Estados-nações não contempla os grupos mas os participantes individuais, que geralmente são concebidos como estereótipos: primeiro como cidadãos, depois como membros desta ou daquela minoria. Como cidadãos, eles têm os mesmos direitos e obrigações que todos os demais e deles se espera que participem positivamente da cultura política da maioria; como membros, têm as características-padrão de sua "espécie" e podem formar associações voluntárias, organizações de socorro mútuo, escolas particulares, sociedades culturais, editoras, e assim por diante. Não podem organizar-se de forma autônoma e exercer jurisdição legal sobre seus semelhantes. A religião, cultura e história da minoria são questões que se referem ao que se poderia chamar de coletivo privado – a cujo respeito o coletivo público, o Estado-nação, sempre mantém uma atitude de suspeita. Qualquer reivindicação de se expressar a cultura de uma minoria em público tende a produzir ansiedade entre a maioria (daí a controvérsia na França sobre o hábito muçulmano de cobrir a cabeça nas escolas públicas). Em princípio, não há coerção de indivíduos, mas a pressão para que todos se assimilem à nação dominante, pelo menos no que se refere a práticas públicas, tem sido muito comum e, até tempos recentes, muito bem-sucedida. Quando os judeus alemães do século XIX descreveram a si mesmos como "alemães na rua, judeus em casa", estavam aspirando a uma norma do Estado-nação que faz da privacidade uma condição da tolerância[8].

A política da língua é uma área-chave onde essa norma é ao mesmo tempo imposta e desafiada. Para muitas nações, a língua é a chave para a unidade. Elas se formaram em parte através de um processo de padronização lingüística, durante o qual dialetos regionais foram obrigados a ceder ao dialeto do centro – embora um ou dois eventualmente conseguissem sobreviver, tornando-se assim um foco de resistência subnacional ou protonacional. O legado dessa história é uma grande relutância em tolerar que outras línguas tenham qualquer função que ultrapasse a comunicação familiar ou o culto religioso. Por isso a nação da maioria

---

8. Sobre os judeus alemães, uma minoria prototípica, ver H. I. Bach, *The German Jew: A Synthesis of Judaism and Western Civilization, 1730-1930* (Oxford: Oxford University Press, 1984) e Donald L. Niewyk, *The Jews in Weimar Germany* (Baton Rouge: Louisiana State University Press, 1980).

em geral insiste para que as minorias nacionais aprendam e utilizem sua língua em todas as transações públicas – quando votam, vão aos tribunais, registram um contrato, e assim por diante.

As minorias, se forem suficientemente fortes, e em especial se tiverem uma base territorial, buscarão legitimar suas línguas próprias em escolas públicas, documentos legais e registros públicos. Às vezes, uma das línguas minoritárias é de fato reconhecida como uma segunda língua oficial; mais freqüentemente, essa língua é preservada apenas no âmbito da família, na igreja e em escolas particulares (ou lenta e penosamente se perde). Ao mesmo tempo, a nação dominante vê sua língua sendo transformada pelo uso das minorias. Academias de lingüistas lutam para manter uma versão "pura", ou aquilo que consideram como tal, da língua de sua nação. Mas seus compatriotas com muita freqüência se mostram surpreendentemente dispostos a aceitar usos estrangeiros ou minoritários. Aqui também, suponho eu, temos um teste de tolerância.

Há menos espaços para a diferença em Estados-nações, mesmo em Estados-nações liberais, do que em impérios multinacionais ou em consociações – muito menos, é óbvio, do que na sociedade internacional. Sendo que os membros tolerados do grupo minoritário também são cidadãos, com direitos e obrigações, as práticas do grupo tendem, mais do que acontece nos impérios multinacionais, a passar pelo escrutínio da maioria. Formas de discriminação e dominação de há muito aceitas – ou, de qualquer maneira, incontestadas – no seio do grupo talvez se tornem inaceitáveis depois que os membros são reconhecidos como cidadãos (examinarei alguns exemplos no capítulo 4). Mas temos aqui um duplo efeito: embora o Estado-nação seja menos tolerante em relação aos grupos, pode muito bem forçá-los a serem mais tolerantes para com os indivíduos. O segundo efeito é uma conseqüência da transformação (parcial e incompleta) dos grupos em associações voluntárias. Como os controles internos enfraquecem, as minorias só podem segurar seus membros se suas doutrinas forem persuasivas, sua cultura atraente, suas organizações úteis e seu senso de associação liberal e abrangente. Na realidade, há uma estratégia alternativa: um fechamento rígido e sectário. Mas nesse caso só há esperança de salvar uma pequena parcela dos crentes fiéis. Para salvar parcelas maiores, arranjos mais abertos e menos rigorosos se fazem necessários. Entretanto, todos os arranjos dessa natureza representam um perigo comum: o de que as marcas distintivas do grupo e de seu modo de vida sejam pouco a pouco abandonadas.

Apesar dessas dificuldades, uma variedade de diferenças significativas, especialmente diferenças religiosas, preservam-se com êxito em Estados-nações liberais e democráticos. De fato, as minorias muitas vezes se saem bem em praticar e reproduzir uma cultura comum precisamente por sofrerem pressão da maioria nacional. Elas se organizam, tanto social quanto psicologicamente, para resistir, fazendo de suas famílias, vizinhanças, igrejas e associações uma espécie de solo pátrio cujas fronteiras defendem com muito esforço. Alguns indivíduos, naturalmente, acabam se afastando, apresentam-se como membros da maioria, assimilam aos poucos o estilo de vida da maioria ou se casam com alguém de outro grupo e criam filhos que não têm memória ou conhecimento da cultura minoritária. Para a maior parte, porém, essas autotransformações são demasiado difíceis, penosas ou humilhantes; agarram-se a suas próprias identidades e a homens e mulheres que se identificam de maneira semelhante.

As minorias nacionais (mais do que as religiosas) são os grupos mais propensos a situações de risco. Se esses grupos tiverem uma concentração territorial – como os húngaros na Romênia, por exemplo – serão suspeitos, talvez com razão, de almejar um Estado próprio ou uma incorporação num Estado vizinho onde seus parentes étnicos têm poder soberano. Os processos arbitrários da formação de um Estado produzem em regra minorias assim localizadas, grupos que estão sujeitos a essas suspeitas e são muito difíceis de tolerar. Talvez a melhor coisa a fazer seja encolher as fronteiras e deixá-los separar-se, ou dar-lhes plena autonomia[9]. Toleramos os outros diminuindo nosso Estado para que eles possam viver num espaço social talhado conforme suas necessidades. Soluções alternativas são mais prováveis, obviamente: o reconhecimento lingüístico e um grau muito limitado de devolução administrativa são fatos bastante comuns, embora essas medidas venham muitas vezes acompanhadas de esforços para assentar membros da maioria êm regiões fronteiriças politicamente sensíveis e com campanhas periódicas de assimilação.

Após a Primeira Guerra Mundial, houve um esforço para garantir a tolerância de minorias nacionais nos novos (e radicalmente heterogêneos) "Estados-nações"

---

9. Essa é a argumentação de Will Kymlicka em sua obra *Multicultural Citizenship* (Nova York: Oxford University Press, 1995), que a aplica sobretudo a minorias conquistadas, como as sociedades aborígines do Novo Mundo. Teoricamente se aplica a qualquer grupo minoritário que tenha uma longa história e uma base territorial, mas não a grupos de imigrantes – por razões que explico, seguindo Kymlicka, na seção seguinte.

do Leste europeu. O avalista era a Liga das Nações, e o aval foi inscrito numa série de tratados envolvendo minorias ou nacionalidades. Convenientemente, os tratados atribuíam direitos a indivíduos estereotípicos e não a grupos. Assim o Tratado da Minoria Polonesa refere-se a "poloneses que pertencem a minorias raciais, religiosas ou lingüísticas". Uma designação como essa não tem nenhuma conseqüência no que se refere à autonomia do grupo ou à devolução regional ou ao controle de escolas pela minoria. De fato, a garantia de direitos individuais era em si mesma uma quimera: a maioria dos novos Estados declarou sua soberania ignorando (ou anulando) os tratados, e a sociedade não conseguiu colocá-los em prática.

Mas vale a pena repetir esse esforço baldado, talvez reconhecendo de modo mais explícito o que o membro estereotípico de uma minoria tem em comum com seus semelhantes. O Pacto das Nações Unidas sobre Direitos Políticos e Civis (1966) vai um passo adiante: os indivíduos de uma minoria "não terão negado o direito, em conjunto com outros membros de seu grupo, de desfrutar de sua própria cultura, de ter e praticar sua própria religião, ou de usar sua própria língua"[10]. Note-se que essa formulação ainda se alinha com a norma do Estado-nação: nenhum reconhecimento se refere ao grupo como uma pessoa jurídica coletiva; os indivíduos agem "em conjunto com"; apenas a maioria nacional age como uma comunidade.

Em tempos de guerra, a lealdade das minorias nacionais ao Estado-nação, estejam elas concentradas ou

---

10. Esta citação e a anterior provêm de Patrick Thornberry, *International Law and the Rights of Minorities* (Oxford: Oxford University Press, 1991); ver sua discussão dos tratados, pp. 132-7.

não num território, sejam ou não reconhecidas no âmbito internacional, facilmente será objeto de dúvida – mesmo contra toda a evidência disponível, como no caso dos refugiados alemães antinazistas na França durante os primeiros meses da Segunda Guerra Mundial. Mais uma vez, a tolerância falha quando os outros parecem perigosos, ou quando nacionalistas demagogos conseguem fazê-los parecer perigosos. O destino dos nipo-americanos alguns anos mais tarde prova o mesmo ponto – seus concidadãos americanos imitaram, por assim dizer, a condição de Estado-nação convencional. Na realidade, os japoneses não eram, e não são, uma minoria nacional dentro dos Estados Unidos, não pelo menos no sentido comum dos termos: onde está a nação da maioria? As maiorias norte-americanas têm um caráter temporário e são constituídas de modo diferente conforme os diferentes propósitos e ocasiões (as minorias também são muitas vezes temporárias, embora raça e escravidão constituam juntas uma exceção; tratarei da exceção mais adiante). Constitui uma característica essencial do Estado-nação, por contraste, o fato de que sua maioria é permanente. A tolerância nos Estados-nações tem apenas uma fonte, e se move ou não numa única direção. O caso dos Estados Unidos sugere um conjunto de arranjos muito diferente.

Sociedades imigrantes

O quinto modelo de coexistência e possível tolerância é o da sociedade imigrante[11]. Aqui os membros

---

11. Sirvo-me dos Estados Unidos como exemplo-chave neste ponto, e de John Higham como meu principal guia em questões de

dos diferentes grupos abandonaram sua base territorial, sua terra natal. Vieram individualmente ou com
suas famílias, um por vez, para uma nova terra e depois
nela se dispersaram. Embora chegando em ondas, em
conseqüência de pressões políticas e econômicas semelhantes, não vêm em grupos organizados. Não são
colonizadores que conscientemente planejam trans-
plantar sua cultura para outro lugar. Para seu bem-estar,
reúnem-se em grupos relativamente pequenos, sempre se misturando com outros grupos similares em cidades, estados e regiões. Conseqüentemente, nenhum
tipo de autonomia territorial é possível. (Embora o
Canadá seja uma sociedade imigrante, o Quebec é
uma exceção óbvia neste caso. Seus primeiros habitantes vieram como colonizadores, não como imigrantes, e depois foram conquistados pelos ingleses. Outra
exceção deve ser feita para os povos aborígines, que
também foram conquistados. Tratarei aqui principal-
mente dos imigrantes. Sobre os habitantes do Quebec
e os aborígines, ver a seção "Canadá" no capítulo 3;
sobre os negros americanos, importados como escravos, ver a seção "Classe" no capítulo 4.)

Se os grupos étnicos e religiosos quiserem se preservar numa sociedade imigrante, devem fazê-lo simplesmente como associações voluntárias. Isso significa que correm mais riscos por causa da indiferença

---

política de imigração. Ver *Strangers in the Land* e também *Send These
to Me: Jews and Other Immigrants in Urban America* (New York:
Atheneum, 1975). Também me servi dos artigos e ensaios em Stephan
Thernstrom (org.), *Harvard Encyclopedia of American Ethnic Groups*
(Cambridge, Mass.: Harvard University Press, 1980) – e de minha
análise do pluralismo norte-americano, *What It Means to Be an American* (Nova York: Marsilio,1992), bem como, naturalmente, de minha
própria experiência com esse pluralismo.

de seus próprios membros do que pela intolerância dos outros. O Estado, uma vez livre da pressão dos primeiros imigrantes, que sempre imaginam estarem formando um Estado-nação próprio, não se compromete com nenhum dos grupos que o compõem; apóia a língua da primeira imigração e, dentro de determinados limites, também sua cultura política, mas, no que se refere a vantagens contemporâneas, o Estado é, conforme se costuma dizer (e em princípio), neutro em relação aos grupos, tolerando a todos, e autônomo em seus objetivos.

O Estado reivindica exclusivos direitos de jurisdição, considerando todos os cidadãos como indivíduos e não como membros de grupos. Por isso os objetos da tolerância, rigorosamente falando, são as escolhas e atitudes individuais: atos de adesão, participação em rituais de culto e associação, práticas de diferenças culturais e assim por diante. Individualmente, homens e mulheres são incentivados a tolerar uns aos outros como indivíduos, a entender a diferença em cada caso como uma versão personalizada (e não estereotípica) de cultura de grupo – isso também significa que os membros de cada grupo, se quiserem mostrar a virtude da tolerância, devem aceitar mutuamente as diferentes versões de cada um. Logo haverá muitas versões da cultura de cada grupo, e muitos graus diferentes de comprometimento em relação a cada versão. Assim a tolerância assume uma forma radicalmente descentralizada: cada um tem de tolerar todos os outros.

Nenhum grupo de uma sociedade imigrante pode organizar-se de maneira coercitiva, assumir o controle do espaço público ou monopolizar recursos públicos. Todas as formas de corporativismo ficam excluídas. Em princípio, as escolas públicas ensinam a história e a educação cívica do Estado, que é concebido como não tendo nenhuma identidade nacional mas apenas política. É óbvio que esse princípio só é posto em prática aos poucos e de modo imperfeito. Desde a fundação das escolas públicas nos Estados Unidos, por exemplo, elas ensinaram sobretudo o que os anglo-americanos concebiam como sua história e cultura – ambas remontando a Grécia e Roma e incluindo as línguas e literaturas clássicas. Havia e ainda há uma justificativa respeitável para esse padrão de currículo, mesmo após as imigrações de meados do século XIX (quando chegaram os alemães e os irlandeses) e da virada do século (quando vieram os povos do sul e do leste da Europa), pois as instituições políticas norte-americanas são mais bem compreendidas a partir desses antecedentes. Em tempos mais recentes (e durante a terceira grande imigração, que agora é amplamente não européia), envidaram-se esforços para incorporar a história e cultura de todos os diferentes grupos, a fim de assegurar uma espécie de cobertura igual e assim criar escolas "multiculturais". Na realidade, o Ocidente continua dominando os currículos em quase toda parte.

De modo semelhante, deve-se supor que o Estado é totalmente indiferente à cultura grupal ou igualmente favorável a todos os grupos – apoiando, por exemplo, uma espécie de religiosidade genérica, como naqueles anúncios nos trens e ônibus da década de 1950 que exortavam os norte-americanos a "freqüentar a igreja de sua escolha". Como essa máxima sugere, a neutralidade é sempre uma questão de grau. Alguns grupos são de fato mais favorecidos que outros – nesse caso, os grupos com "igrejas" mais ou menos como aquelas dos primeiros imigrantes protestantes. Mas os outros grupos ainda são tolerados. Também não se toma a freqüência à igreja ou qualquer outra prática cultural específica como uma condição de cidadania. Torna-se relativamente fácil, assim, e nada humilhante, fugir do próprio grupo e assumir a identidade política dominante (neste caso, a "norte-americana").

Mas muitos dos que integram uma sociedade imigrante preferem uma identidade hifenizada ou dupla, que é diferenciada por posições políticas ou culturais. O hífen que une ítalo-americano, por exemplo, simboliza a aceitação da "italianidade" por parte de outros norte-americanos, e o reconhecimento de que "americano" é uma identidade política sem pretensões culturais fortes ou específicas. A conseqüência, naturalmente, é que "ítalo" indica uma identidade cultural sem pretensões políticas. Essa é a única maneira pela qual se tolera a italianidade, e assim os ítalo-americanos precisam preservar sua própria cultura, se ou enquanto puderem, de forma privada, através de contribuições e esforços voluntários de homens e mulheres engajados. Esse é o caso, em princípio, de todos os grupos culturais e religiosos, não apenas das minorias (mas, repito, não há maioria permanente).

Saber se os grupos podem se preservar nessas condições – sem autonomia, sem acesso ao poder do Estado, sem o reconhecimento oficial e sem uma base territorial ou a oposição fixa de uma maioria permanente – é uma questão que ainda não foi respondida. As comunidades religiosas, tanto as que integram seitas quanto as que constituem "igrejas", não se saíram mal nos Estados Unidos até agora. Mas uma razão de seu relativo sucesso talvez seja a considerável intolerância que muitas delas de fato enfrentaram. A intolerância, como já sugeri, tem o efeito de preservar os grupos. Os grupos étnicos não se saíram tão bem, embora seja

quase certo que os observadores que anseiam por
descartá-los são precipitados. Esses grupos sobrevivem
naquilo que poderíamos considerar como uma versão
duplamente hifenizada: a cultura do grupo é, por exemplo, américo-italiana, o que significa que assume uma
forma fortemente americanizada e se transfigura em
algo muito distinto da cultura italiana no país de origem; e sua política é ítalo-americana, uma adaptação
étnica de estilos e práticas políticas locais. Considere-se
em que medida John Kennedy permaneceu um político irlandês, Walter Mondale ainda é um social-demo-
crata norueguês, Mario Cuomo ainda é um intelectual
político democrata-cristão italiano e Jesse Jackson ainda é pregador batista negro – cada um deles se assemelha de muitas maneiras ao tipo anglo-americano padrão, mas dele igualmente difere[12].

Não sabemos se essas diferenças irão sobreviver
na próxima geração ou na subseqüente. A sobrevivência integral talvez seja improvável. Mas isso não significa que os sucessores dessas quatro figuras exemplares, e de muitas outras iguais a elas, serão exatamente
similares. As formas de diferença típicas das sociedades imigrantes ainda estão emergindo. Não sabemos
em que medida a diferença será de fato "diferente". A
tolerância de escolhas individuais e de versões personalizadas da cultura e religião constitui o máximo (ou
o mais intenso) regime de tolerância. Mas saber se o
resultado a longo prazo desse máximo de tolerância
será o fomento ou a dissolução da vida grupal é uma
questão profundamente obscura.

O medo de que em breve os únicos objetos de
tolerância serão os indivíduos excêntricos faz com que

---

12. Devo esses exemplos a Clifford Geertz.

alguns grupos (ou seus membros mais comprometidos) procurem um apoio explícito do Estado – na forma, por exemplo, de subsídios e subvenções correspondentes para suas escolas e organizações de socorro mútuo. Dada a lógica do multiculturalismo, se o Estado oferecer apoio deve fazê-lo em termos de igualdade para todos os grupos sociais. Na prática, porém, alguns grupos começam com mais recursos do que outros, e reúnem depois muito mais condições de aproveitar todo tipo de oportunidade que o Estado oferece. Assim, a sociedade civil está organizada de forma desigual, com grupos fortes e grupos fracos que trabalham com índices de sucesso muito diferentes para ajudar e manter seus membros. Se o Estado tivesse o objetivo de igualar os grupos, teria de promover uma considerável redistribuição de recursos e empenhar uma respeitável quantia de dinheiro público. A tolerância é, pelo menos potencialmente, infinita em sua extensão; mas o Estado só pode garantir a vida grupal dentro de certos limites político-financeiros estabelecidos.

Resumo

Será útil neste ponto listar os sucessivos objetos de tolerância nos cinco regimes. (Não quero sugerir que indicam um progresso; nem que a ordem em que foram apresentados é propriamente cronológica.) No império multinacional como na sociedade internacional, é o grupo que é tolerado – tenha ele *status* de comunidade autônoma ou de Estado soberano. Suas leis, práticas religiosas, procedimentos jurídicos, políticas distributivas e sociais, programas educacionais e estruturas familiares são todos considerados legítimos e permissíveis, sujeitos apenas a limites mínimos que raramente são impostos (ou passíveis de imposição). O caso é o mesmo na consociação, mas uma nova característica se acrescenta: uma cidadania comum mais eficaz do que a de muitos impérios, de tal natureza que no mínimo possibilita a interferência do Estado nas práticas de grupos para preservar direitos individuais. Em consociações democráticas (tais como a Suíça), essa possibilidade é plenamente realizada, mas os direitos não são eficazmente postos em prática nos muitos outros casos onde a democracia é fraca, onde o Estado central existe por mera condescendência dos grupos consociados e se concentra sobretudo no esforço de mantê-los unidos.

A cidadania no Estado-nação é mais significativa. Aqui os objetos de tolerância são os indivíduos concebidos tanto como cidadãos quanto como membros de uma minoria específica. São tolerados, por assim dizer, sob seus nomes genéricos. Mas não se exige desses indivíduos que sejam membros de seu gênero (exige-se, porém, que sejam cidadãos do Estado). Seus grupos não exercem nenhuma autoridade coercitiva sobre eles, e o Estado irá interferir com vigor para protegê-los contra qualquer tentativa de coerção. Conseqüentemente, novas opções tornam-se disponíveis: a afiliação vaga ao grupo, a não-afiliação a nenhum grupo, ou a assimilação à maioria. Nas sociedades imigrantes, essas opções se ampliam. Os indivíduos são tolerados especificamente como indivíduos com seus nomes próprios, e suas escolhas são entendidas em termos pessoais e não estereotípicos. Surgem agora versões personalizadas de vida grupal, muitas maneiras diferentes de ser isso ou aquilo, que os outros membros do grupo têm de tolerar pelo simples motivo de que são tolerados pela sociedade como um todo. A ortodoxia fundamentalista se distingue por sua recusa em aceitar essa tolerância geral como uma razão para uma visão mais latitudinária de sua própria cultura religiosa. Às vezes, seus protagonistas se opõem ao todo do regime de tolerância da sociedade imigrante.

CAPÍTULO TRÊS

Casos complicados

Cada caso é único, como bem sabe qualquer um que esteja envolvido no caso. Mas quero agora voltar os olhos para três países onde a inadequação às categorias desenvolvidas no capítulo 2 é particularmente óbvia. Os três implicam, do ponto de vista social ou constitucional, regimes mistos que são dupla ou triplicemente divididos e assim exigem o exercício simultâneo de tipos diferentes de tolerância. Refletem a complexidade ordinária da "vida real" da qual tive de abstrair minhas categorias. Depois tratarei de forma breve da Comunidade Européia, que é totalmente nova não tanto por seus regimes mistos quanto pela incorporação deles numa estrutura constitucional ainda em formação.

França

A França constitui um estudo de caso especialmente útil por ser o Estado-nação clássico e, ao mesmo tempo, a principal sociedade imigrante da Europa; na verdade, uma das principais sociedades imigrantes do mundo. A extensão de sua imigração tem sido ofuscada pelo extraordinário poder assimilador da nação francesa – de modo que imaginamos a França como uma sociedade homogênea, com uma cultura muito singular e distintiva. Até bem recentemente, os numerosos imigrantes do leste e do sul (poloneses, russos, judeus, italianos e africanos do norte) nunca tinham se juntado como minorias nacionais organizadas. Produziram organizações comunitárias de várias espécies – editoras, uma imprensa em língua estrangeira, e assim por diante – mas (excetuando-se pequenos grupos de refugiados políticos que não planejavam ficar) só se juntavam para obter apoio mútuo e bem-estar no contexto de uma assimilação grandemente forçada e muito rápida à cultura e política da França. Muito mais do que qualquer outro país europeu, a França tem sido uma sociedade de imigrantes[1]. E contudo não é uma sociedade pluralista – ou pelo menos não se considera e não é considerada como tal.

A explicação mais plausível para essa anomalia – a presença física e a ausência conceitual da diferença cultural – encontra-se na história moderna francesa, sobretudo na construção revolucionária de um Estado-nação republicano. O nacionalismo que se criou no

---

1. Ver William Rogers Brubaker (org.), *Immigration and the Politics of Citizenship in Europe and North America* (Lanham, Md.: University Press of America [for the German Marshall Fund], 1989), p. 7.

decurso de uma luta política contra a Igreja e o antigo regime tinha caráter populista e político; exaltava o povo como um corpo de cidadãos comprometidos com uma causa. Embora a causa fosse francesa bem como republicana, não se tratava nesse caso de uma francesidade que se pudesse definir religiosa, étnica ou historicamente. Alguém se tornava francês nesse novo sentido da palavra tornando-se republicano. No auge da revolução, os estrangeiros eram bem-vindos, como desde então tem acontecido, pelo menos de modo intermitente – contanto que aprendessem a língua francesa, se comprometessem com a república, enviassem seus filhos a escolas do Estado e celebrassem o Dia da Bastilha[2].

O que não se permitia aos imigrantes era organizar qualquer espécie de comunidade étnica paralela (e potencialmente antagônica) à comunidade dos cidadãos. A hostilidade francesa contra associações secundárias fortes que diferenciam e dividem os cidadãos está prevista na teoria política de Rousseau e foi expressa pela primeira vez, com absoluta clareza, em 1791, no debate da Assembléia Legislativa sobre a emancipação dos judeus. Clermont-Tonnerre, um deputado de centro, falava pela maioria que apoiava a emancipação quando disse: "Deve-se negar tudo aos judeus como nação, e dar tudo aos judeus como indivíduos."[3] Em 1944, Jean-Paul Sartre argumentava que

---

2. A história real é mais complicada do que sugere este breve resumo. Rogers Brubaker, em seu *Citizenship and Nationhood in France and Germany* (Cambridge, Mass.: Harvard University Press, 1992), apresenta uma excelente análise.

3. Para uma análise do debate, ver Gary Kates, "Jews into Frenchmen: Nationality and Representation in Revolutionary France", *Social Research* 56 (primavera de 1989):229.

essa ainda era a posição do "democrata" francês típico. "Em sua defesa, o judeu é poupado como homem e aniquilado como judeu (...) nada dele sobra (...) exceto o sujeito abstrato dos direitos do homem e do cidadão."[4] Os indivíduos podiam ser naturalizados e assimilados. Nesse sentido, a francesidade era uma identidade expansiva. Mas a França como um Estado-nação republicano não podia tolerar – assim insistira Clermont-Tonnerre – "uma nação no seio de uma nação".

Assim, a revolução estabeleceu a atitude francesa para com todos os grupos imigrantes. Tinha o mesmo caráter da velha e consistente recusa que impediu que os normandos, bretões ou occitanos constituíssem uma genuína minoria nacional. E é preciso dizer que os republicanos franceses, ao longo dos anos, tiveram notável êxito na manutenção do ideal unitário da revolução. Sem dúvida, os imigrantes assimilaram-se de modo mais ou menos voluntário e ficavam felizes de poder denominar-se cidadãos franceses. Seu objetivo era serem tolerados apenas como indivíduos – homens e mulheres que freqüentavam a sinagoga, por exemplo, ou falavam polonês em casa ou liam poesia russa. Não tinham, ou não admitiam, ambições públicas como membros de uma minoria separada.

Essa era a situação até o colapso do império ultramarino e a chegada à França de grandes levas de judeus do norte da África e de levas muito mais numerosas de árabes muçulmanos. Esses grupos, em parte devido a seu tamanho, e em parte devido a um clima ideológico em mutação, começaram a testar e depois

---

4. Jean-Paul Sartre, *Anti-Semite and Jew*, trad. George J. Becker, prefácio de Michael Walzer (Nova York: Schocken, 1995), pp. 56-7.

a desafiar o ideal republicano. Eles têm culturas próprias que pretendem preservar e reproduzir; não estão tão dispostos, como seus predecessores, a confiar seus filhos às escolas do Estado voltadas para o "afrancesamento" (diversamente do que ocorre com a palavra "americanização", esse termo não está de fato em voga, o que mostra como o processo tem sido inconsciente)[5]. Querem ser reconhecidos como um grupo e ter permissão de expressar sua identidade grupal em público. Querem ser cidadãos franceses na medida em que vivem, por assim dizer, lado a lado com os franceses, e muitos deles são ativamente intolerantes para com os concidadãos judeus ou árabes que buscam para si e seus filhos uma assimilação segundo o velho estilo.

O resultado imediato é uma situação de constrangedora reserva entre os republicanos assimilacionistas (representados pelo governo, pelos partidos políticos de direita e esquerda, pelos sindicatos de professores, e assim por diante) e os novos grupos imigrantes (representados por militantes e líderes eleitos ou naturais). Os republicanos tentam preservar uma comunidade universal e uniforme de cidadãos, e toleram a diversidade étnica e religiosa enquanto ela se restringe ao âmbito privado ou familiar – a clássica norma do Estado-nação. Os novos imigrantes, ou muitos dentre eles, procuram alguma versão do multiculturalismo, embora a maioria não esteja preparada para a versão norte-americana, em que cada cultura é constituída de modo diverso e tem seus conflitos internos. Talvez, o que realmente estão procurando seja algo semelhante ao sistema *millet* – o império ultramarino reconstruído em casa.

---

5. Mas a palavra *francisation* [afrancesamento] é um termo comum nos debates de hoje no Quebec.

Israel

O caso de Israel é ainda mais complicado que o da França, pois incorpora três dos quatro regimes domésticos – e o quarto já foi uma vez proposto. Uma facção do movimento sionista das décadas de 30 e 40 defendeu uma consociação árabe-judaica, um Estado binacional. O plano mostrou-se inviável na prática porque a questão central em discussão entre judeus e árabes era a política de imigração. Não se tratava de como organizar um regime de tolerância (Em que estruturas poderiam judeus e árabes tolerar-se mais facilmente entre si?) mas de saber quais seriam os participantes do regime (Quantos judeus e árabes participariam?). Para esta última questão, os dois grupos não encontraram uma resposta comum. O problema da imigração era particularmente urgente para os judeus durante as décadas de 30 e 40, e constituiu o principal motivo para a criação de um Estado independente.

Israel não é obviamente uma consociação. Mas está, apesar disso, profundamente dividido, e dividido de três modos diversos. Primeiro, Israel é hoje um Estado-nação que foi criado por um clássico movimento nacionalista do século XIX e que incorpora uma considerável "minoria nacional", os árabes palestinos. Os membros dessa minoria são cidadãos do Estado, mas não vêem sua história ou cultura espelhadas na vida pública. Segundo, Israel é um dos Estados sucessores do Império Otomano (a sucessão foi mediada pelo Império Britânico), e manteve o sistema *millet* para suas diversas comunidades religiosas – judaicas, muçulmanas e cristãs – permitindo-lhes administrar seus próprios tribunais (para a lei familiar) e oferecendo um conjunto parcialmente diferenciado de programas educacionais. E, terceiro, a maioria judaica de Israel é uma sociedade de imigrantes trazidos de todas as partes de uma diáspora muito dispersa – uma "recolha" de homens e mulheres que de fato têm, apesar de sua nacionalidade judaica comum (que muitas vezes também é objeto de discussão), histórias e culturas muito diferentes. As diferenças, ora étnicas, ora religiosas, dão origem a uma maioria segmentada que só se une para enfrentar a militância minoritária – e mesmo nesse caso nem sempre. O sionismo é uma poderosa força nacionalizante, mas não tem tido o poder assimilador do republicanismo francês.

Cada uma dessas breves descrições é, por assim dizer, uma descrição-padrão de cada tipo. Cada regime – Estado-nação, império e sociedade imigrante – se parece, *grosso modo*, com o que é quando existe de forma independente. Mas, na prática, os três exercem pressões mútuas de maneiras complexas e originam tensões e conflitos que vão além dos que são inerentes a cada caso isolado[6]. O sistema *millet*, por exemplo, prende os indivíduos em suas comunidades religiosas, mas essas não são as comunidades naturais ou únicas de todos os cidadãos – e isso se aplica especialmente aos judeus imigrantes da Europa ocidental, das Américas e da ex-União Soviética, muitos dos quais sofreram uma secularização radical ou são religiosos à sua maneira. Sentem os tribunais rabínicos como opressivos e intolerantes, relíquias de algum regime antigo que jamais conheceram.

De modo até certo ponto semelhante, a minoria árabe sente a presença dos judeus imigrantes como uma

---

6. Para uma análise produtiva de algumas dessas tensões, ver Dan Horowitz e Moshe Lissak, *Trouble in Utopia: The Overburdened Policy of Israel* (Albany: State University of New York Press, 1989).

afronta e uma ameaça – não apenas porque eles reforçam sua condição de minoria, mas também porque
dominam a luta política por reconhecimento e tratamento igualitário. Contrastando com os árabes, esses
imigrantes esperam ver sua história e cultura espelhadas na vida pública do Estado judaico, embora muitos
deles na verdade não tenham essa expectativa. Diante
de sua própria diversidade, são levados a exigir uma
versão da neutralidade estatal ou do multiculturalismo
característico das sociedades imigrantes – e isso não
corresponde ao que os fundadores sionistas tinham em
mente. Mas embora esses ajustes teoricamente incluam
os árabes, na prática isso muitas vezes não acontece –
ou então acontece apenas num sentido formal, de
modo que as escolas árabes, por exemplo, não recebem sua quota justa de verbas públicas[7]. O esforço para
fazer com que a tolerância mútua funcione nos contextos imigrantes (ou judeus) tem primazia sobre o
esforço de tornar o Estado judaico totalmente tolerante para com a minoria árabe. É óbvio que a primazia
é reforçada pelo conflito internacional entre Israel e
seus vizinhos árabes, mas também reflete a difícil coexistência dos diferentes regimes.

Nessas circunstâncias a tolerância se torna mais
difícil por causa da incerteza sobre seu objeto apro-
priado: os indivíduos ou as comunidades? Se forem
estas, deveriam ser religiosas, nacionais ou étnicas?
Supõe-se que as respostas devem ser inclusivas: todas
as anteriores. Se os conflitos internacionais fossem re-
solvidos, a tolerância no seio dessa sociedade triplicemente dividida talvez fosse mais fácil do que em mui-

---

7. Alex Weingrod, "Palestinian Israelis?" em *Dissent* (verão de
1996): 108-10.

tos casos de uma única divisão – porque caminharia, por assim dizer, em direções diferentes e seria mediada por diferentes estruturas institucionais. Mas a mediação pressupõe uma revisão gradual das estruturas, um ajuste de cada uma em relação às outras. O que se exigiria nesse processo? Talvez uma multiplicação dos tribunais religiosos de modo que refletisse as divisões concretas das três comunidades. Talvez alguma espécie de autonomia local para as cidades e aldeias árabes. Talvez um currículo unificado de educação cívica, que ensinasse os valores de democracia, pluralismo e tolerância e que fosse imposto a todas as diferentes escolas controladas pelo Estado – árabes e judaicas, seculares e religiosas. A primeira dessas sugestões adaptaria o sistema *millet* à sociedade imigrante; a segunda modificaria o Estado-nação segundo os interesses de sua minoria nacional; a terceira estabeleceria as reivindicações desse mesmo Estado nos moldes da sociedade imigrante – isto é, em termos políticos ou morais em vez de nacionais, religiosos ou étnicos. Mas é também fácil imaginar Israel sofrendo reiteradas crises em cada um desses regimes – e também ao longo das "fronteiras" em que eles interagem.

Canadá

O Canadá é uma sociedade imigrante com diversas minorias nacionais – os povos aborígines e os franceses – que também são nações conquistadas. Essas minorias não estão dispersas, como acontece com os imigrantes, e têm uma história muito diferente. A chegada individual não faz parte de sua memória coletiva; contam, em vez disso, a história de uma vida comunitária duradoura. Desejam manter essa forma de vida, e temem que se torne insustentável na individualista sociedade dos imigrantes, que é fracamente organizada e móvel ao extremo. É provável que nem mesmo vigorosas políticas multiculturalistas possam ajudar minorias dessa espécie, pois todas essas políticas fomentam apenas identidades "hifenizadas" – isto é, identidades fragmentadas, em que cada indivíduo negocia o hífen, construindo uma espécie de unidade para si mesmo. O que essas minorias querem, pelo contrário, é uma identidade que seja negociada coletivamente. Para isso precisam de um agente coletivo com forte autoridade política.

Para os quebequenses, o mais importante é viver em francês – preservar a língua, que é agora sua principal marca distintiva. Sua vida diária não difere significativamente daquela de outros canadenses. As nações aborígines ainda possuem sua própria cultura característica – que abrange toda a gama de atividades sociais – e também suas próprias línguas. Mas esses grupos provavelmente precisam de um certo grau de autonomia dentro do Canadá (ou de independência do Canadá) se quiserem manter-se como são hoje. Será que a tolerância exige que se lhes dê permissão para fazer isso, ou tentar fazê-lo, mediante o exercício da autoridade política ou pelo uso de poderes coercitivos que o projeto exigiria? Por que não se deveria pedir que se adaptassem ao modelo de uma sociedade imigrante?

Mas nem os aborígines nem os quebequenses são imigrantes. Nunca aceitaram os riscos e perdas culturais que a imigração implica. Os franceses vieram como colonizadores; os aborígines eram o que seu nome diz, povos indígenas, o que equivale a dizer, colonizadores de uma época anterior. Tanto os indígenas como os quebequenses foram conquistados em guerras que provavelmente consideraríamos injustas (embora as guerras entre franceses e ingleses talvez tenham sido injustas de ambos os lados, pois o que estava em questão era quem dominaria os "índios"). Com uma história desse tipo, alguma espécie de autonomia parece justificar-se inteiramente. Essa, porém, não é uma tarefa fácil, pois exige um arranjo constitucional que trate pessoas diferentes de modo diferente e estabeleça diferentes regimes em diferentes partes do mesmo país – num país comprometido com o princípio liberal da igualdade perante a lei.

A recusa dos canadenses (até o momento) em oferecer ao Quebec uma "condição especial" constitucionalmente segura – a principal causa da política separatista na província – deriva desse compromisso. Por que deveria essa província receber um tratamento diferente de todas as outras? Por que se deveria conceder a seu governo poderes negados aos outros? Já sugeri uma resposta histórica a essas perguntas, uma resposta que é de fato confirmada pelos termos da capitulação dos franceses em 1760 e pelo Ato de Quebec de 1774, que incorporou a província ao império britânico. A incorporação seguiu o modelo padrão do multinacionalismo imperial: "garantia que a religião católica romana, a língua francesa, o sistema senhorial de propriedade e as leis consuetudinárias e formas de governo do período francês continuariam até que se estabelecesse uma legislatura. Os legisladores do Quebec poderiam então alterar essas formas antigas segundo o que lhes parecesse adequado"[8].

---

8. James Tully, *Strange Multiplicity: Constitutionalism in an Age of Diversity* (Cambridge: Cambridge University Press, 1995), pp. 145-6.

É possível transportar um arranjo desse tipo para um Estado liberal e uma sociedade imigrante, cujos outros grupos constituintes não tenham tais "garantias"? A pergunta não tem uma resposta óbvia. Mas é provável que a tolerância, quando estendida a grupos realmente diferentes, com histórias e culturas diferentes, venha a exigir alguma espécie de diferenciação política e jurídica. O argumento a favor do que Charles Taylor chamou de "federalismo assimétrico" não depende só da história (ou dos tratados); apóia-se do modo mais concreto sobre diferenças que realmente persistem e sobre o desejo do povo que, por assim dizer, leva adiante essas diferenças para continuar a manter a própria cultura e a ser reconhecido como seus representantes encarnados[9]. O desejo é claro; apenas se discutem os meios. Os quebequenses alegam que, sem autoridade suficiente para impor o uso cotidiano do francês, eles logo se verão, dadas as taxas atuais de imigração e a pressão dos falantes de língua inglesa em todo o Canadá, incapazes de manter o francês como língua pública. Mas também afirmam que essa mesma imposição pode ser aplicada dentro de limites liberais – isto é, que se pode conceder a tolerância aos cidadãos que não falam francês (isso também foi garantido pelo Ato de Quebec) – sem prejuízos para

---

Tully apresenta uma excelente análise dos dilemas da tolerância no Canadá bem como uma poderosa defesa dos direitos dos quebequenses e, particularmente, dos aborígines. Para um proveitoso corretivo liberal mais próximo de minha posição neste ensaio, ver Kymlicka, *Multicultural Citizenship.*

9. Ver os ensaios coligidos de Charles Taylor sobre as políticas étnicas do Canadá: *Reconciling the Solitudes: Essays on Canadian Federalism and Nationalism,* org. por Gay Laforest (Montreal: McGill-Queens University Press, 1993).

o projeto como um todo. Se for assim, o Quebec pareceria um caso sem complicações do ponto de vista teórico, apesar das dificuldades práticas que até agora impossibilitaram, e ainda podem impedir, uma solução constitucional.

O caso dos povos aborígines é mais difícil, pois não há certeza alguma de que seu modo de vida possa ser preservado, mesmo em condições autônomas, dentro de limites liberais; não se trata, historicamente, de um modo de vida liberal. Grupos que internamente não são tolerantes nem liberais (como a maioria das igrejas, por exemplo) podem ser tolerados numa sociedade liberal na medida em que assumem a forma de associações voluntárias. Mas será que podem ser tolerados como comunidades autônomas com autoridade coercitiva sobre seus membros? Essa última espécie de tolerância era possível nos antigos impérios porque os membros não eram cidadãos (ou, pelo menos, não cidadãos em algum sentido forte do termo) –, daí os líderes tradicionais dos povos aborígines também se referirem a tratados dos tempos imperiais. Mas os aborígines são hoje cidadãos canadenses, e a autoridade de suas comunidades é limitada pela lei superior do Canadá – a Carta de Direitos e Liberdades de 1982, por exemplo. Direitos constitucionais são limites impostos a qualquer coletividade; seu objetivo é conferir poderes a indivíduos, e assim necessariamente põem em risco o modo de vida coletivo (neste caso, o tribal).

A cultura aborígine é tolerada como a cultura de uma comunidade ou um conjunto de comunidades diferenciadas, cuja sobrevivência é apenas uma constante possibilidade. Não pode haver garantias. As comunidades são estabelecidas legalmente, com instituições reconhecidas, líderes legítimos e recursos disponíveis – o que aumenta as probabilidades de sobrevivência mas não constitui barreira eficiente contra o afastamento e a evasão individual. Assim, a situação dos aborígines é diferente daquela dos judeus, batistas, lituanos, ou de qualquer outra comunidade religiosa ou de imigrantes, pois nenhum desses grupos é estabelecido ou reconhecido segundo os mesmos moldes. Por causa de sua conquista e longa submissão, os povos aborígines recebem, e devem receber, mais espaço político e jurídico para organizar e praticar sua antiga cultura. Mas o espaço ainda apresenta janelas e portas; não pode ser isolado da sociedade mais ampla, pois seus habitantes também são cidadãos. Qualquer um deles pode decidir ir embora e viver fora ou fazer campanhas internas contra líderes e práticas vigentes – igualando-se agora aos judeus, batistas e lituanos. As nações aborígines são toleradas, mas seus membros também são, ao mesmo tempo, tolerados como indivíduos que podem modificar ou rejeitar sua forma de vida nacional. As duas formas de tolerância coexistem, mesmo que os detalhes da coexistência ainda precisem ser elaborados, e sua viabilidade a longo prazo ainda seja incerta.

A Comunidade Européia

Tomo a Comunidade Européia como exemplo de uma união de Estados-nações que não é um império nem uma consociação mas algo bem diferente e talvez novo no mundo. Como ainda se encontra em formação, e seus arranjos constitucionais ainda são objeto de discussão e incerteza, meu relato será amplamente especulativo. Que formas poderia assumir a tolerância nessa visionada união?

A Comunidade Européia não é um império, apesar das acusações de ambição imperial levantadas contra suas autoridades em Bruxelas, porque seus Estados constituintes cederão apenas uma parte de seus poderes soberanos. Qualquer que venha a ser a extensão da cessão, os poderes retidos pelos Estados irão muito além da autonomia. E não se trata de uma consociação, por causa do número de Estados envolvidos e, novamente, por causa de sua quase-soberania. Por que então não considerar a Comunidade como uma simples aliança de Estados soberanos visando a algum propósito limitado? A longa história da política das alianças não mostra nada exatamente igual à coordenação econômica que seus membros pretendem pôr em prática. E há outra razão pela qual esse modelo não se adapta – a "Carta Social" com a qual os membros concordaram. Como está, suas estipulações são bastante fracas, embora de fato decretem, além de padrões mínimos para os salários e a duração da jornada de trabalho, "igualdade entre homens e mulheres·no que diz respeito a oportunidades no mercado de trabalho e tratamento no emprego"[10]. Essas estipulações diferem de estipulações similares contidas na carta de direitos internacional promulgada pelas Nações Unidas: não são meramente exortativas; a intenção é que passem a vigorar, mesmo que o mecanismo de imposição esteja no momento pouco claro.

De fato, já existe uma convenção européia sobre direitos humanos, que juridicamente pode ser imposta

---

10. Martin Holland, *European Integration: From Community to Union* (Londres: Pinter Publishers, 1994), p. 156. Ver também a discussão sobre "novos direitos sociais na Europa" em Maurice Roche, *Rethinking Citizenship: Welfare, Ideology and Change in Modern Society* (Cambridge: Polity Press, 1992), cap. 8.

desde a década de 60, e a ela veio agora somar-se a carta da Comunidade. Imaginem-se as duas combinadas e expandidas para formar um conjunto completo de direitos positivos e negativos (não especularei aqui sobre o conteúdo preciso do conjunto). Haveria nesse caso – talvez já haja – práticas toleradas nos Estados-membros, características de sua cultura política ou de duradouros arranjos sociais ou econômicos (como a desigualdade de gêneros), que não seriam toleradas na nova Comunidade. Em alguns aspectos, como veremos, a Comunidade Européia exige que seus membros sejam mais tolerantes (e tolerantes de maneiras diversas) do que foram no passado. Mas a carta, como a imaginei, estabeleceria um conjunto de limites, e, sendo que esses limites estariam expressos na linguagem de direitos, presume-se que predominariam sobre todas as outras regras e práticas. Esse predomínio teria conseqüências significativas. Mudaria o enfoque do debate político desviando-o das legislaturas para os tribunais ou órgãos administrativos semijurídicos (como aconteceu até certo ponto nos Estados Unidos); aumentaria a quantidade de litígios; e, o que é mais importante, ampliaria o poder relativo dos indivíduos perante os Estados-nações ou grupos religiosos a que pertencem. Enquanto os velhos impérios toleravam diferentes culturas jurídicas, a nova Comunidade, ao que parece, tende a estabelecer (com o tempo, e supondo-se o avanço de sua evolução) um direito único encimando todos os demais.

Ao mesmo tempo, porém, todos os Estados-membros serão mais heterogêneos do que antes, em dois sentidos. Primeiro, a Comunidade reconhece certas regiões dentro dos Estados como objetos legítimos de política social e econômica – e é provável que algum dia as reconheça também como sujeitos políticos. Esse reconhecimento irá quase com certeza ampliar a posição de minorias territorialmente concentradas como os escoceses ou os bascos (já elevou suas ambições). Mas as conseqüências a longo prazo do regionalismo podem sofrer a oposição da segunda origem da nova heterogeneidade – a imigração –, que tenderá a decompor concentrações étnicas regionais. Os "cidadãos" da Comunidade já cruzam fronteiras estatais muito mais livremente do que acontecia no passado, e levam consigo não apenas todos os novos direitos pessoais que lhes foram outorgados, mas também suas velhas culturas e religiões. Assim, as nações de maiorias logo se encontrarão convivendo com minorias com que não estão acostumadas; minorias nacionais estabelecidas se sentirão desafiadas por novos grupos com novas idéias sobre os arranjos que a tolerância exige. Quanto mais as pessoas se deslocarem, tanto mais a Comunidade como um todo passará a se parecer com uma sociedade imigrante, com um grande número de minorias geograficamente dispersas, sem nenhuma ligação forte com um pedaço específico de território.

Os Estados-membros, naturalmente, ainda serão Estados-nações. Ninguém espera que os holandeses ou dinamarqueses, por exemplo, acolham tantos imigrantes a ponto de se tornarem uma minoria, um grupo entre tantos, em seu próprio país. Contudo, os Estados serão obrigados a tolerar recém-chegados (que não serão todos "europeus", porque qualquer imigrante naturalizado num Estado-membro é admitido em todos os outros), cuja permissão de entrada não foi concedida por eles. Estabelecerão seus próprios termos de convivência pacífica com esses recém-chegados e suas práticas culturais e religiosas, estruturas familiares e valores políticos – sujeitos sempre à Carta Social (que pode ou não vir a produzir um regime de tolerância comum, dependendo de sua extensão e imposição final).

De modo semelhante, os recém-chegados estabelecerão seus próprios termos de convivência pacífica com a cultura política de seu novo país. Sem dúvida, grupos diferentes buscarão diferentes arranjos. Apesar das pressões à individualização sentidas em todas as sociedades imigrantes, alguns dos grupos certamente procurarão arranjos corporativistas. Mas estes terão poucas probabilidades de ser aceitos pelos Estados anfitriões, exceto em versões altamente modificadas adaptadas ao padrão básico do Estado-nação de associação voluntária. Tampouco as autoridades da Comunidade em Bruxelas ou seus juízes em Estrasburgo intervirão a favor do corporativismo. Irão, no máximo, impor direitos individuais. O modelo resultante é incerto: os indivíduos se identificarão com grupos étnicos ou religiosos e reivindicarão algum tipo de reconhecimento, mas os grupos serão precários, estando eles mesmos sujeitos a transformações à medida que os imigrantes se adaptam ao novo meio, se assimilam, se casam com membros de outros grupos, e assim por diante. Parece provável que a Comunidade Européia venha a trazer para todos os Estados-membros as vantagens e tensões próprias do multiculturalismo.

Questões práticas

Poder

Ouve-se muitas vezes dizer que a tolerância é sempre uma relação de desigualdade em que os grupos ou indivíduos tolerados ocupam uma posição inferior. Tolerar alguém é um ato de poder; ser tolerado é uma aceitação da própria fraqueza[1]. Deveríamos almejar algo melhor do que essa combinação, algo além da tolerância, algo como o respeito mútuo. Todavia, depois de mapearmos os cinco regimes, a história parece mais complicada. O respeito mútuo é uma das atitudes que contribuem para a tolerância – a atitude mais atraente, talvez, mas não necessariamente a que tem maior probabilidade de se desenvolver ou a mais estável ao longo

---

1. Cf. Stephen L. Carter, *The Culture of Disbelief* (Nova York: Basic Books, 1993), p. 96: "a linguagem da tolerância é a linguagem do poder".

do tempo. Às vezes, de fato, a tolerância funciona melhor quando as relações políticas de superioridade e inferioridade são bem definidas e reconhecidas por todos. Este é, sem sombra de dúvida, o caso da sociedade internacional, onde relações de poder ambíguas estão entre as principais causas das guerras. A mesma afirmação provavelmente é válida no que se refere a regimes internos, como a consociação, em que a incerteza quanto ao poder relativo dos diferentes grupos pode levar a distúrbios políticos e até mesmo à guerra civil. Nas sociedades imigrantes, ao contrário, a mesma incerteza funciona de modo oposto. Se as pessoas estão incertas quanto ao lugar que ocupam em relação às outras, a tolerância é evidentemente a política mais racional. Todavia, mesmo neste caso, questões acerca do poder político surgem com freqüência – embora talvez não se faça a única grande pergunta: quem governa quem? Em vez dela, levanta-se normalmente uma série de perguntas menores. Quem costuma ser mais forte? Quem é mais visível na vida pública? Quem recebe a maior parcela de recursos? Essas perguntas (e a grande também) dificilmente podem ser entendidas sem uma referência às questões a tratar neste capítulo sobre classe, gênero, religião, e assim por diante; mas também podem ser discutidas em separado.

Nos impérios multinacionais, o poder está nas mãos dos burocratas centrais. Todos os grupos incorporados são incentivados a considerar-se como igualmente impotentes, e portanto sem condições de coagir ou perseguir seus vizinhos. Qualquer tentativa local de coerção produzirá um apelo ao centro. Assim, por exemplo, os gregos e os turcos viveram lado a lado e em paz sob o domínio otomano. Respeitavam-se mutuamente? Alguns talvez sim; outros não. Mas a natureza da relação não dependia do respeito mútuo; dependia da mútua sujeição. Quando a sujeição não é uma experiência compartilhada de modo igual por todos os grupos incorporados, a tolerância entre eles é menos provável. Se um grupo sente uma afinidade especial com o centro imperial e conseguir formar uma aliança com seus representantes locais, então muitas vezes tentará dominar os outros – como fizeram os gregos na Alexandria romana. No caso imperial, o poder promove a tolerância da maneira mais eficiente quando está distante, é neutro e irresistível.

Assim, o poder imperial é sem dúvida mais útil para as minorias locais, que por isso tendem a ser os mais leais defensores do império. Os líderes de movimentos nacionais de libertação em geral expressam (e exploram) um ressentimento contra essas mesmas minorias, que são agora identificadas como colaboradoras dos imperialistas. A transição de província imperial para Estado-nação independente é um momento crítico na história da tolerância. Com freqüência as minorias são ameaçadas, atacadas e forçadas a sair – como no caso dos comerciantes e artesãos indianos em Uganda, que foram empurrados para o exílio logo após a saída dos ingleses (e que em sua maioria seguiram para a Inglaterra, levando o império para casa, por assim dizer, e criando uma nova diversidade no centro imperial). Esses grupos às vezes conseguem transformar-se em minorias toleradas, mas o caminho é sempre difícil, e o ponto final, mesmo quando atingido com êxito, provavelmente representa uma perda de segurança e *status* para as minorias. Esse é um dos custos comuns da libertação nacional, que pode, todavia, ser evitado, ou pelo menos mitigado, se o novo Estado-nação for liberal e democrático.

A consociação provavelmente exige algo semelhante ao respeito mútuo, pelo menos entre os líderes
dos diferentes grupos – pois os grupos precisam não
apenas coexistir mas também negociar entre si os termos da coexistência. Os negociadores, como os diplomatas na sociedade internacional, têm de harmonizar
os interesses mútuos. Quando não conseguem ou não
querem fazê-lo, como em Chipre após a saída dos ingleses, a consociação fracassa. Mas os membros individuais das diversas comunidades não precisam har-
monizar-se entre si, exceto quando se encontram e
negociam no mercado. De fato, é provável que a consociação seja mais fácil quando as comunidades têm
pouco a ver umas com as outras, quando cada uma
delas tem relativa auto-suficiência e está voltada para
dentro. O poder é expresso – as populações são con-
tadas e a riqueza é posta em jogo – apenas no nível fe-
deral, onde os líderes comunitários discutem as aloca-
ções orçamentárias e a composição do serviço público.

Nos Estados-nações, o poder está nas mãos da nação majoritária, que, como vimos, usa o Estado para
seus próprios objetivos; o que não impede necessariamente a reciprocidade entre os indivíduos. De fato,
a reciprocidade tende a florescer em Estados liberais
democráticos. Mas os grupos minoritários são desiguais em virtude de seus números e serão democraticamente anulados na maior parte das questões de
cultura pública. A maioria tolera diferenças culturais da
mesma forma que o governo tolera a oposição política – estabelecendo um regime de direitos e liberdades civis e um judiciário independente para garantir
sua eficácia. Grupos minoritários então se organizam,
se reúnem, levantam fundos, oferecem serviços para
seus membros e publicam livros e revistas, preservam

todas as instituições que julguem necessárias e que estejam a seu alcance. Quanto mais forte for sua vida interna e quanto mais sua cultura se diferenciar daquela da maioria, tanto menos tenderão a ressentir-se da ausência, na esfera pública, de quaisquer representações de suas crenças e práticas. Se, por outro lado, os grupos minoritários forem fracos, os membros individuais começarão a adotar cada vez mais as crenças e práticas da maioria; pelo menos na vida pública, e muitas vezes também na vida privada. É a posição intermediária que gera tensões e conduz a constantes discussões acerca do simbolismo da vida pública. O caso francês da atualidade, como descrevi no capítulo 3, oferece amplas evidências da última dessas possibilidades.

O caso se assemelha ao que acontece no início da história das sociedades imigrantes, quando os primeiros membros aspiram à condição de Estado-nação. Ondas subseqüentes de imigrantes produzem o que constitui, em princípio, um Estado neutro, a versão democrática da burocracia imperial. O Estado assume e mantém – por quanto tempo ninguém sabe – alguns dos arranjos práticos e parte do simbolismo de seu predecessor imediato. Assim cada novo grupo de imigrantes tem de se ajustar à língua e cultura do primeiro grupo, embora também as transforme. Mas o Estado afirma estar acima dessa competição, não tendo interesse em dirigir o curso das transformações. Dirige-se apenas aos indivíduos e cria assim, ou tende com o tempo a criar, uma sociedade aberta na qual todos, como demonstrei, estão engajados na prática da tolerância. Presume-se que agora seja possível o tão anunciado passo "além da tolerância". Mas não está claro se diferenças grupais significativas irão continuar a ser respeitadas depois de dado esse passo.

Classe

A intolerância em geral é mais virulenta quando diferenças de cultura, etnia ou raça coincidem com diferenças de classe – quando os membros de grupos minoritários também são subordinados economicamente. Essa subordinação é menos provável de ocorrer nos impérios multinacionais, onde cada nação tem seu próprio suprimento completo de classes sociais. O multinacionalismo geralmente produz hierarquias paralelas, mesmo quando as diferentes nações não se beneficiam de modo igualitário da riqueza do império. A sociedade internacional é marcada pelo mesmo paralelismo, e assim a desigualdade das nações não causa problemas de tolerância (sejam quais forem seus outros problemas). As elites do Estado interagem de formas determinadas inteiramente por diferenças de poder, não de cultura; e as elites dos Estados dominantes aprendem muito rápido a respeitar culturas antes "inferiores" quando seus líderes políticos de repente aparecem no conselho das nações exibindo, por exemplo, nova riqueza ou novos armamentos.

Numa situação ideal, as consociações assumem a mesma forma – as diferentes comunidades, internamente desiguais, são parceiros mais ou menos iguais no país como um todo. Mas ocorre com freqüência que uma comunidade culturalmente diferente seja também economicamente subordinada. O Shi'a libanês é um bom exemplo – não apenas dessa dupla diferenciação mas também da privação dos direitos políticos que é sua conseqüência normal. O processo também funciona no sentido contrário. Quando funcionários do governo fazem discriminações contra os membros de tal grupo, a hostilidade que os membros sofrem em todas as outras áreas da vida social é legitimada e se intensifica. Os piores empregos, as piores moradias, as piores escolas: essa é a parte que lhes cabe. Eles constituem uma classe mais baixa, marcada por sua etnia ou religião. São tolerados num sentido mínimo – permite-se que tenham seus locais de culto, por exemplo – mas ocupam rigorosamente a extremidade dos que recebem a tolerância. A igualdade consociativa, e o conseqüente reconhecimento mútuo por ela supostamente gerado, são solapados pela desigualdade de classes.

As minorias nacionais nos Estados-nações às vezes se encontram numa situação semelhante, e às vezes pelas mesmas razões. Não importa se a seqüência causal começa com estigmas culturais ou com fraquezas econômicas ou políticas, em regra os três fatores estão presentes. Mas também pode ocorrer que minorias nacionais relativamente sem poder, como os chineses em Java, por exemplo, sejam economicamente prósperas (embora nunca tão prósperas quanto insinuam os demagogos que contra elas insuflam as maiorias). Impérios que se retiram muitas vezes deixam as minorias perigosamente expostas à intolerância dos novos dirigentes do Estado-nação. Essa intolerância pode assumir formas extremas – como vimos no caso dos colonizadores indianos em Uganda. A prosperidade visível vai com certeza criar riscos para uma minoria nacional, especialmente para uma minoria nacional nova. A pobreza invisível, pelo contrário, acarreta um perigo menor mas uma miséria maior, contribuindo para o não-reconhecimento radical e uma espécie de discriminação automática, irrefletida. Considerem-se os homens e mulheres "invisíveis" dos grupos minoritários (ou classes mais baixas) que fornecem à sociedade os varredores de rua, lixeiros, lavadores de pratos, serventes de hospitais e assim por diante – cuja presença é simplesmente dada como certa e que raramente são olhados no rosto ou admitidos numa conversa por membros da maioria.

As sociedades imigrantes normalmente incluem grupos dessa espécie – os imigrantes mais recentes de países mais pobres, por exemplo, que trazem consigo sua pobreza. Mas os estigmas culturais e a pobreza duradoura constituem com menos freqüência o quinhão dos imigrantes (que são, afinal, os membros paradigmáticos de uma sociedade imigrante) do que o dos povos indígenas e grupos importados à força, como os escravos negros e seus descendentes nas Américas. Aqui a espécie mais radical de subordinação política acompanha a espécie mais radical de subordinação econômica, e a intolerância racial desempenha um papel importante nos dois casos. A combinação de fraqueza política, pobreza e estigma racial cria problemas de extrema dificuldade para o regime de tolerância que se supõe ser o da sociedade imigrante. Grupos estigmatizados em geral não têm os recursos para manter uma vida interna vigorosa, de modo que não podem funcionar num contexto imperial como uma comunidade religiosa organizada à maneira de uma corporação (embora às vezes se permitam aos nativos conquistados as formas jurídicas desse tipo de comunidade) ou como uma minoria nacional com uma base territorial. Tampouco seus membros individuais podem abrir o próprio caminho, seguindo os passos dos imigrantes na escalada social. Formam uma casta anômala, ocupando o ponto mais baixo no sistema de classes.

A tolerância é obviamente compatível com a desigualdade sempre que o sistema de classe é reiterado, de modo mais ou menos semelhante, em cada um dos diferentes grupos. Mas a compatibilidade desaparece quando os grupos também são classes. Um grupo étnico ou religioso que constitua o lumpemproletariado de uma sociedade, ou uma subclasse, é, com certeza, foco de extrema intolerância – não que seus membros sejam massacrados ou expulsos (pois eles muitas vezes desempenham um papel economicamente útil que mais ninguém quer assumir), mas são diariamente discriminados, rejeitados e humilhados. Os outros cidadãos, sem dúvida, se resignam com sua presença, mas essa não é a espécie de resignação que conta como tolerância, pois vem acompanhada do desejo de que esse grupo fosse invisível[2]. Em princípio, seria possível ensinar o respeito por pessoas da subclasse e por suas funções – bem como uma tolerância maior para com todos os tipos de pessoas que fazem todos os tipos de serviços, inclusive serviços pesados e sujos. Na prática, é improvável que haja respeito específico ou maior tolerância, a menos que a ligação entre classe e grupo seja rompida.

O objetivo da ação afirmativa ou da discriminação inversa na admissão de estudantes nas universidades, seleção de funcionários públicos e alocação de verbas do governo é quebrar o vínculo entre classe e grupo. Nenhum desses esforços é igualitário no que se refere aos indivíduos, que são simplesmente deslocados para cima ou para baixo na hierarquia. A ação afirmativa é igualitária apenas ao nível do grupo, onde visa produzir hierarquias semelhantes oferecendo à maioria dos grupos subordinados a classe ausente: a classe alta, profissional ou média. Se o perfil social de todos os

---

2. Ver o romance clássico de Ralph Ellison, *Invisible Man* (Nova York: Random House, 1952).

grupos é mais ou menos o mesmo, a aceitação da diferença cultural é mais provável. Essa afirmação não se sustenta em casos de grave conflito nacional, mas onde o pluralismo já existe, como em consociações e sociedades imigrantes, parece plausível. Ao mesmo tempo, a experiência dos Estados Unidos sugere que o ato de privilegiar os membros de grupos subordinados, sejam quais forem as conseqüências úteis a longo prazo, a curto prazo reforça a intolerância. Causa uma verdadeira injustiça contra determinados indivíduos (em geral membros dos grupos imediatamente acima dos mais subordinados) e gera perigosos ressentimentos políticos. É bem possível então que tenhamos o seguinte caso: em sociedades pluralistas, uma tolerância maior exige um igualitarismo maior. A chave do sucesso nesses regimes de tolerância talvez não esteja – ou não esteja apenas – na reiteração da hierarquia em cada grupo, mas também na redução da hierarquia na sociedade como um todo[3].

Gênero

Questões a respeito da organização familiar, do papel dos sexos e do comportamento sexual estão entre

---

3. Os leitores talvez julguem proveitosa a análise de um estudo de caso que se situa fora do meu âmbito de comparações. Trata-se da obra de Marc Galanter *Competing Equalities: Law and the Backward Classes in India* (Berkeley: University of California Press, 1984). A versão indiana da "discriminação compensatória" foi concebida com o desígnio específico de superar um regime antiquíssimo de estigmatização e intolerância, e Galanter argumenta que o esforço para consegui-lo mediante a criação de uma classe de servidores públicos entre os "intocáveis" fez com que a Índia se aproximasse um pouco, mas apenas um pouco, daquele desígnio.

as mais divisórias em todas as sociedades contemporâneas. É um erro pensar que seu caráter divisório seja inteiramente novo. A poligamia, o concubinato, a prostituição ritual, a exclusão das mulheres, a circuncisão e a homossexualidade têm sido discutidos durante milênios. Culturas e religiões se distinguiram por suas práticas distintivas nesses assuntos – e depois passaram a criticar as práticas dos "outros". Mas um domínio masculino quase universal estabeleceu limites para o que se poderia discutir e quem poderia entrar na discussão. Hoje, idéias de grande aceitação acerca da igualdade e dos direitos humanos questionam esses limites. Agora tudo está aberto ao debate, e todas as culturas e religiões estão sujeitas a um novo exame crítico. Isso às vezes favorece a tolerância, mas é óbvio que outras vezes favorece a atitude contrária. A linha teórica e prática entre o tolerável e o intolerável muito provavelmente será discutida e por fim traçada neste ponto, no que se refere ao que chamarei, resumidamente, de questões de gênero.

Os grandes impérios multinacionais em geral deixavam que essas questões fossem resolvidas pelas comunidades que os integravam. O gênero era considerado como uma questão essencialmente interna. Não envolvia, ou supunha-se que não envolvesse nenhuma espécie de interação comunitária. Costumes comerciais estranhos não eram tolerados nos mercados comuns, mas o direito da família (o direito "privado") era deixado inteiramente nas mãos das autoridades religiosas tradicionais ou dos anciãos (do sexo masculino). Práticas de costume também ficavam sob o controle deles; era improvável que os funcionários imperiais interferissem.

Considere-se com que extraordinária relutância os ingleses finalmente baniram, em 1829, a *sati* (a autoimolação de uma viúva hindu sobre a pira funerária do marido) em seus Estados indianos. Por muitos anos, a Companhia das Índias Orientais e depois o governo britânico toleraram a prática por causa daquilo que um historiador do século XX descreve como sua "intenção declarada de respeitar as crenças hindus e muçulmanas e permitir o exercício livre de direitos religiosos". Até os dirigentes muçulmanos, que, segundo o mesmo historiador, não tinham nenhum respeito pelas crenças hindus, fizeram apenas esporádicos e tímidos esforços para suprimir a prática[4]. Assim, a tolerância imperial se estende até a *sati*, o que significa ir bastante longe, se considerarmos os relatórios ingleses sobre o que a prática envolvia.

É no mínimo concebível que arranjos consociativos possam produzir uma tolerância semelhante, se o poder das comunidades envolvidas for quase equilibrado e os líderes de uma delas tiverem um forte compromisso com esta ou aquela prática costumeira. Entretanto, um Estado-nação, onde o poder é por definição desequilibrado, não toleraria costumes como a *sati* no seio de uma minoria religiosa ou nacional. Esse nível de tolerância é também improvável numa sociedade imigrante, onde cada grupo é uma minoria em relação a todos os outros. O caso dos mórmons nos Estados Unidos sugere que práticas desviadas, como a poligamia, não serão toleradas nem mesmo quando são apenas internas, quando envolvem "somente" a vida doméstica. Nestes dois últimos casos, o Estado confere cidadania igual a todos os seus membros – inclusive a viúvas hindus e esposas mórmons – e impõe uma

---

4. Sir Percival Griffiths, *The British Impact on India* (Londres: MacDonald, 1952), pp. 222 e 224.

lei única. Não há tribunais comunitários; o país inteiro é uma só jurisdição no seio da qual os funcionários do Estado têm a obrigação de impedir uma *sati* em curso da mesma forma que têm a obrigação de deter uma tentativa de suicídio se lhes for possível. E, se a *sati* é coercitivamente "assistida", como de fato muitas vezes era, os funcionários devem tratar a coerção como assassinato. Não há desculpas culturais ou religiosas.

Isso, pelo menos, é o que resulta dos modelos de Estado-nação e sociedade imigrante tais como os descrevi. Mas às vezes a realidade fica para trás – como acontece com outra prática ritual que envolve o corpo feminino: a mutilação genital ou, em termos mais neutros, a clitoridectomia e a infibulação. Essas duas operações são geralmente praticadas em meninas ou jovens mulheres num grande número de países africanos, e, como ninguém sugeriu uma intervenção humanitária para impedi-las, podemos dizer que são toleradas na esfera da sociedade internacional (toleradas no nível do Estado, mas ativamente combatidas por várias organizações que funcionam no âmbito da sociedade civil internacional). As operações também são praticadas no seio de sociedades imigrantes africanas na Europa e América do Norte. Foram formalmente proscritas na Suécia, Suíça e Grã-Bretanha, embora sem nenhum esforço sério para fazer vigorar a interdição. Na França, o Estado-nação clássico (que agora também é, como vimos, uma sociedade imigrante), dizem que cerca de 23 mil meninas corriam o "risco" da operação em meados da década de 80. Não se sabe ao certo quantas foram da fato operadas. Mas houve alguns julgamentos amplamente divulgados (com base na lei genérica da mutilação) das mulheres que praticam as operações e das mães das meninas. As mulheres foram condenadas, e depois tiveram suas sentenças suspensas. Com efeito, a prática (desde meados dos anos 90) é publicamente condenada, embora, de fato, seja tolerada[5].

O argumento a favor da tolerância tem a ver com o "respeito pela diversidade cultural" – uma diversidade concebida, como ocorre no modelo-padrão de Estado-nação, como conseqüência de escolhas feitas por membros estereotípicos de uma comunidade cultural. Daí, uma petição de 1989 contra a criminalização daquilo que os franceses denominam *excision*: "Exigir uma sentença penal para um costume que não ameaça a ordem republicana e que não há razão para não circunscrever na esfera da escolha privada, como a circuncisão, demonstraria uma intolerância que só pode criar mais drama humano do que se pretende evitar, e que manifesta uma concepção particularmente estreita de democracia."[6] Como acontece com a *sati*, é importante entender bem a descrição. A clitoridectomia e a infibulação "são comparáveis ... não à remoção do prepúcio mas à remoção do pênis"[7], e fica difícil imaginar a circuncisão, nessa forma, sendo tratada como uma questão da escolha privada. De qualquer maneira, as meninas não são voluntárias. E seria de pensar que o Estado francês lhes deve a proteção de suas leis. Algumas delas são cidadãs, e a maioria será mãe de cidadãos franceses. Seja como for, são residentes da

---

5. Sigo aqui o relato de Bronwyn Winter, "Women, the Law, and Cultural Relativism in France: The Case of Excision", *Signs* 19 (verão de 1994), pp. 939-74.

6. Citado ibid., p. 951, de uma petição esboçada por Martine Lefeuvre e publicada em 1989 pelo Mouvement Anti-Utilitariste dans les Sciences Sociales (MAUSS). Fiz a revisão da tradução.

7. Ibid., p. 957.

França e futuras participantes da vida econômica e social do país; e, embora possam ficar totalmente confinadas na comunidade imigrante, também pode ser que não fiquem – essa é a vantagem de morarem na França. No que se refere a indivíduos nessas condições, a tolerância certamente não deveria estender-se à mutilação ritual, não mais do que se estende até o suicídio ritual. A diversidade cultural nesse ponto extremo só é protegida contra interferências quando os limites são traçados de modo muito mais claro do que são ou podem ser em Estados-nações ou em sociedades imigrantes[8].

Em casos de outra natureza, em que os valores morais da comunidade mais ampla – a maioria nacional ou a coalizão de minorias – não são desafiados de forma tão direta, é possível aceitar a desculpa da diferença cultural ou religiosa (e da "escolha privada"), respeitar a diversidade e tolerar práticas incomuns relativas ao gênero. É o caso, por exemplo, de minorias muito restritas ou sectárias como os *amish* ou os *hasidim* norte-americanos, a quem as autoridades do Estado às vezes se predispõem a oferecer (ou os tribunais a mediar) arranjos conciliatórios – a separação de sexos em ônibus escolares e até em salas de aula, por exemplo.

---

8. Devo insistir que minha argumentação não pretende exigir a criminalização dessas práticas, mas apenas alguma forma de intervenção visando interrompê-las. Winter tem argumentos veementes que defendem os esforços para reformular os processos de reprodução cultural: educação para adultos, orientação médica e assim por diante (ibid., pp. 966-72). Para outro estudo de caso em que o autor chega a conclusões semelhantes, ver Raphael Cohen-Almagor, "Female Circumcision and Murder for Family Honour Among Minorities in Israel", in Kirsten E. Schulze, Martin Stokes e Colm Campbell, *Nationalism, Minorities and Diasporas: Identities and Rights in the Middle East* (Londres: I. B. Tauris, 1966), pp. 171-87.

Mas privilégios semelhantes não serão facilmente concedidos a grupos maiores, mais poderosos (e mais ameaçadores), mesmo em casos relativamente menores – e os acordos estabelecidos sempre podem ser desafiados por qualquer membro da seita ou do grupo que reivindique seus direitos de cidadão. Imagine-se que se estabeleceu um acordo (e isso certamente deveria acontecer) permitindo que as alunas muçulmanas em escolas públicas francesas cubram a cabeça segundo seu costume[9]. Seria um acordo com a norma do Estado-nação, que reconheceria o direito de uma comunidade imigrante numa esfera pública (modestamente) multicultural. As tradições laicas da educação francesa continuariam a reger calendário e currículo da escola. Imagine-se agora que um grupo de alunas muçulmanas afirmem que estão sendo coagidas por suas famílias a cobrir a cabeça e que o acordo estabelecido facilite essa coação. Nesse caso o acordo deveria ser renegociado. No Estado-nação e na sociedade imigrante, mas não no império multinacional, o direito à proteção contra uma coerção dessa natureza (como, de modo ainda mais óbvio, alguém estaria protegido contra a coerção muito mais séria da clitoridectomia) teria precedência sobre os "valores familiares" da cultura ou religião da minoria.

Essas são questões de extraordinária sensibilidade. A subordinação das mulheres – manifesta na exclusão, no encobrimento do corpo ou na real mutilação – não visa unicamente à imposição de direitos

---

9. Ver o argumento inovador de Anna Elisabetta Galleoti em "Citizenship and Equality: The Place of Toleration", *Political Theory* 21 (nov. 1993): 585-605. Tive proveitosas conversas com a dra. Galleoti acerca dos problemas da tolerância na Europa contemporânea.

patriarcais de propriedade. Também tem a ver com a reprodução religiosa ou cultural, da qual as mulheres são consideradas os agentes mais confiáveis. Historicamente, os homens se envolveram com a vida pública mais ampla dos exércitos, tribunais, assembléias e mercados; sempre são agentes potenciais de novidade e assimilação. Assim como a cultura nacional é mais bem preservada nos ambientes rurais do que nos urbanos, também é mais bem preservada nos ambientes privados ou domésticos do que nos públicos – o que equivale a dizer, nos casos-padrão, entre as mulheres mais do que entre os homens. A tradição é transmitida nas canções de ninar que as mães cantam, nas orações que murmuram, nas roupas que costuram, na comida que preparam e nos ritos e costumes domésticos que ensinam. Depois que as mulheres entrarem na esfera pública, como se dará essa transmissão? É por ser a educação o primeiro momento de entrada que questões como o hábito de cobrir a cabeça em escolas públicas são tão ferozmente debatidas.

Essa é a forma que a discussão assume quando uma religião ou cultura tradicional se confronta com o Estado-nação ou a sociedade imigrante. "Vocês têm o compromisso de tolerar nossa comunidade e suas práticas", dizem os tradicionalistas. "Dado esse compromisso, vocês não podem negar-nos o controle sobre nossos filhos (e particularmente sobre nossas filhas) – do contrário, vocês não estão de fato nos tolerando." A tolerância implica o direito à reprodução comunitária. Mas esse direito, se é que existe, entra em conflito com os direitos dos cidadãos individuais – que outrora se restringiam aos homens e portanto não eram tão perigosos, mas que agora são estendidos às mulheres. Parece inevitável que os direitos individuais acabarão prevalecendo a longo prazo, pois a cidadania igual é a norma básica tanto do Estado-nação quanto da sociedade imigrante. A reprodução comunitária será então mais incerta ou, no mínimo, se realizará por processos que produzem resultados menos uniformes. Os tradicionalistas terão de aprender uma tolerância própria – para com versões diferentes de sua cultura ou religião. Mas, antes que se aprenda essa lição, podemos esperar uma longa série de reações "fundamentalistas" que quase sempre giram em torno de questões de gênero.

As atuais guerras sobre o aborto nos Estados Unidos sugerem a natureza dessa política reacionária. Do lado fundamentalista, a questão moral consiste em saber se a sociedade tolerará o assassinato de infantes no ventre materno. Mas a questão política, para os dois lados, tem um enfoque diferente: quem controlará os espaços da reprodução? O ventre materno é apenas o primeiro deles; o lar e a escola vêm em seguida e já estão, como vimos, em disputa. Que diferenças culturais sobrarão para tolerar depois que essas disputas forem resolvidas, como um dia serão, a favor da autonomia feminina e da igualdade de gêneros? Se os tradicionalistas estiverem certos, nada sobrará. Mas é improvável que estejam. A igualdade de gêneros assumirá formas diferentes em diferentes tempos e lugares, e até no mesmo tempo e lugar entre grupos diferentes de pessoas, e alguma dessas formas se mostrará coerente com a diferença cultural. Pode acontecer que os homens venham a desempenhar um papel maior na preservação e reprodução das culturas a que dizem dar valor.

Religião

A maioria das pessoas nos Estados Unidos, e no Ocidente em geral, acredita que a tolerância religiosa seja fácil. Lêem a respeito de guerras religiosas perto de sua casa (na Irlanda e na Bósnia) ou muito longe (no Oriente Médio e no sudeste asiático) e não conseguem compreender. A religião nesses lugares deve estar contaminada pela etnia ou pelo nacionalismo, ou deve assumir alguma forma extrema, fanática e portanto, a nosso ver, fora do normal. Pois não provamos que a liberdade de culto, a associação voluntária e a neutralidade política funcionam em conjunto para reduzir os riscos da diferença religiosa? Esses princípios do pluralismo norte-americano não fomentam a transigência mútua e não contribuem para uma coexistência feliz? Permitimos que os indivíduos acreditem no que quiserem, se associem livremente com outros da mesma crença, freqüentem a igreja de sua escolha – ou deixem de acreditar no que não querem mais acreditar, se afastem da igreja de sua escolha, e assim por diante. Que mais poderia alguém querer? Esse não é o modelo de um regime de tolerância?

É óbvio que, de fato, existem outros regimes reais ou possíveis. O sistema *millet* foi especificamente concebido para comunidades religiosas, e as consociações em geral põem lado a lado diferentes grupos religiosos ou étnicos. Mas a tolerância de crentes individuais, como foi inicialmente concebida na Inglaterra do século XVII e depois levada para o outro lado do Atlântico, é o modelo que predomina hoje em dia. Portanto, é necessário examinar de perto algumas de suas complicações. Quero considerar dois fatos de importância histórica e atual: primeiro, a persistência nas margens dos Estados-nações e sociedades imigrantes modernos de grupos religiosos que exigem reconhecimento mais para o próprio grupo que para seus membros individuais, e, segundo, a persistência de exigências de tolerância e intolerância "religiosas" que vão além dos direitos de associação e culto e englobam uma grande variedade de outras práticas sociais.

Uma das razões de a tolerância funcionar tão bem em países como os Estados Unidos é que as igrejas e congregações que os indivíduos formam, sejam quais forem as divergências teológicas, são na maior parte muito semelhantes entre si. A tolerância do século XVII era sobretudo uma acomodação mútua de seitas protestantes. E nos Estados Unidos, após um esforço inicial de se estabelecer uma "comunidade santa" em Massachusetts, o regime de crescente tolerância tendeu para a protestantização de seus vários grupos. Os judeus e católicos norte-americanos passaram a se parecer cada vez menos com os judeus e católicos de outros países. O controle comunitário diminuiu; os líderes religiosos falavam com menos autoridade; os indivíduos declaravam sua independência religiosa, afastavam-se da comunidade e casavam-se com membros de outros credos; tendências fissíparas muito conhecidas desde o início da Reforma tornaram-se uma característica geral da vida religiosa norte-americana. A tolerância acomodou a diferença, mas também produziu entre os diferentes grupos um padrão de acomodação ao modelo protestante que tornou a coexistência mais fácil do que poderia ter sido.

No entanto, alguns grupos resistiram – seitas protestantes determinadas a fugir da "dissidência da dissensão" (o solo, por assim dizer, onde haviam originalmente lançado suas raízes) e facções ortodoxas no

seio de comunidades religiosas tradicionais. Volto a
citar para cada caso os exemplos mencionados anteriormente: os *amish* e os *hasidim*. O regime de tolerância também acomodou esses grupos, embora apenas
nas margens. Permitiu-lhes o isolamento e estabeleceu com eles acordos sobre questões críticas como o
ensino público. Os *amish*, por exemplo, durante muito
tempo tiveram permissão para educar seus filhos em
casa; quando finalmente foram obrigados, primeiro pelo
estado da Pensilvânia e depois pela Suprema Corte de
Justiça (a respeito de um caso ocorrido em Wisconsin), a matricular seus filhos em escolas públicas, obti-
veram a permissão de tirá-los da escola antes da ida-
de estabelecida por lei[10]. Em princípio, o que se tolerava era uma série de escolhas individuais, feitas
durante várias gerações, de participar de congregações
e prestar culto à maneira *amish*. Na prática, o verdadeiro objeto de tolerância era, e ainda é, a comunidade
amish como um todo e seu controle coercitivo sobre
os próprios filhos (apenas parcialmente mitigado pela
imposição da escola pública). Por causa dessa (espécie de) tolerância, permitimos que as crianças *amish*
recebam menos educação em questões de cidadania
do que se exige das crianças norte-americanas em geral. O acordo se justifica em parte pela marginalização
dos *amish* e em parte por sua aceitação da marginalida-
de: o sério compromisso de não viver em parte alguma exceto nas margens da sociedade norte-americana

---

10. Para uma argumentação convincente (que me parece exagerada) contra essa disposição, ver Ian Shapiro, *Democracy's Place*
(Ithaca, N.Y.: Cornell University Press, 1996), cap. 6: "Democratic
Autonomy and Religious Freedom: A Critique of *Wisconsin v. Yoder*"
(em co-autoria com Richard Arneson), e Amy Gutmann, "Civil Education and Social Diversity", em *Ethics* 105 (abr. 1995): 557-79.

e de não procurar exercer nenhuma influência além dessas margens. Outras seitas religiosas marginais vêm mantendo um controle semelhante sobre seus filhos praticamente sem sofrer interferência do Estado liberal.

O exemplo mais interessante da tolerância norte-americana em seus primórdios foi a dispensa do serviço militar concedida aos membros de certas seitas protestantes muito conhecidas por suas convicções pacifistas[11]. Hoje, a objeção por questões de consciência é um direito individual, embora o sinal dessa consciência que as autoridades políticas estão mais dispostas a reconhecer seja a inserção do indivíduo como membro nessas mesmas seitas. Em sua origem, porém, a objeção era realmente um direito do grupo. De fato, alegações de consciência acerca de uma vasta gama de questões sociais – a recusa a prestar juramentos, participar de júris, freqüentar a escola pública, pagar impostos; a exigência do casamento polígamo, do sacrifício de animais, do uso ritual de drogas, e assim por diante – conseguem a legitimidade que têm, mesmo nos dias de hoje, porque são práticas religiosas características de um modo de vida coletivo. Essas práticas não teriam nenhuma legitimidade se fossem propostas numa base puramente individual, mesmo quando os indivíduos insistissem em que seu modo de entender o que devem fazer ou deixar de fazer representa um com-conhecimento (uma com-ciência) compartilhado entre cada um deles e seu Deus.

A tolerância ou não de proibições e práticas religiosas de minorias, que vão além dos direitos de asso-

---

11. Ver coleção de textos, discursos e tratados jurídicos em Lillian Schlissel (org.), *Conscience in America* (Nova York: E. P. Dutton, 1968).

ciação e culto, depende de sua visibilidade ou noto-
riedade e do grau de escândalo que provocam na maioria. Uma grande variedade de acomodações práticas
estão presentes tanto nos Estados-nações quanto nas
sociedades imigrantes. Homens e mulheres que alegam
perante as autoridades que sua religião exige deles
fazer isso ou aquilo podem sem dúvida obter permissão para fazê-lo – mesmo que não seja permitido a
ninguém mais –, especialmente se o fizerem de modo
discreto. E líderes comunitários que digam às autoridades que seu poder coercitivo é necessário à sobrevivência da comunidade também podem obter permissão para exercer tal poder, dentro de certos limites
liberais. Mas há uma pressão constante, ainda que
apenas ocasionalmente violenta, a favor do modelo
individualista: a comunidade concebida como uma assembléia livre – com entradas e saídas abertas, com
pouca pretensão e capacidade de determinar a vida
cotidiana dos participantes.

Simultaneamente, esse regime de tolerância sofre
pressão nos Estados Unidos de hoje por parte de grupos no seio da maioria (cristã) que não discordam da
liberdade de reunião e culto mas temem a perda do
controle social. Eles estão dispostos a tolerar religiões
minoritárias (defendem, portanto, a liberdade religiosa), mas são intolerantes com a liberdade pessoal fora
do local de culto. Se as comunidades sectárias querem
controlar o comportamento de seus próprios seguido-
res, os membros mais extremistas das maiorias religiosas querem controlar o comportamento de todos –
em nome de uma suposta tradição (judaico-cristã, por
exemplo), de "valores familiares" ou de suas próprias
convicções sobre o que é certo e o que é errado. Isto
é sem dúvida um exemplo de intolerância religiosa.

No entanto, também constitui um sinal do sucesso parcial do regime de tolerância o fato de o antagonismo não se voltar contra religiões minoritárias específicas mas sim contra a atmosfera de liberdade criada pelo regime como um todo.

Sem dúvida, a tolerância floresce nessa atmosfera – e chega até a atingir o que descrevi como sua forma mais intensa –, mas a tolerância religiosa, pelo menos, não depende dessa atmosfera. Grandes restrições à liberdade pessoal como a proibição do aborto, a censura de livros e revistas (ou de textos cibernéticos), a discriminação contra os homossexuais, a exclusão das mulheres de certas ocupações, e assim por diante, mesmo que sejam produtos da intolerância religiosa, são inteiramente compatíveis com a tolerância religiosa – isto é, com a existência de muitas congregações e igrejas diferentes cujos membros têm liberdade para praticar várias modalidades de culto. A contradição não se situa entre a tolerância e a restrição; está profundamente entranhada na própria idéia de tolerância religiosa, porque praticamente todas as religiões toleradas querem restringir a liberdade individual, que é, pelo menos para os liberais, a fundação da idéia. As religiões, de modo geral, são organizadas para controlar o comportamento. Quando exigimos que abandonem esse objetivo, ou que abandonem os meios necessários à sua consecução, estamos exigindo uma transformação cujo produto final ainda não podemos descrever.

Comunidades religiosas inteiramente livres já existem, é óbvio, mas não parecem satisfatórias para todos os fiéis, talvez nem mesmo para a maioria deles. Daí a recorrência de uma religiosidade cultural e sectária e de teologias fundamentalistas, que desafiam o regime de tolerância predominante. Supondo que os desafios sejam superados (a mesma suposição que fiz em seções anteriores), que pode acontecer depois? Qual será o poder de resistência e a força organizacional de uma fé puramente voluntária?

Educação

As escolas já figuraram de modo significativo neste ensaio – sobretudo na discussão de gênero e reprodução cultural. Mas há uma questão importante de que devo tratar agora (e de novo depois na seção sobre a religião civil), que está relacionada com a reprodução do próprio regime de tolerância. Não é dever do regime ensinar a todas as crianças, sem distinção de grupos a que elas pertençam, o valor de seus próprios arranjos constitucionais e as virtudes de seus fundadores, heróis e líderes atuais? E será que esse ensino, que por sua natureza é mais ou menos unitário, não irá interferir, ou no mínimo rivalizar, com a socialização das crianças nas várias comunidades culturais? A resposta é obviamente afirmativa em ambos os casos. Todos os regimes internos têm de ensinar seus próprios valores e virtudes, e esse ensino certamente irá rivalizar com tudo aquilo que as crianças aprenderem de seus pais ou em suas comunidades. Mas a rivalidade é ou pode ser uma lição útil sobre a tolerância mútua e suas dificuldades. Os professores do Estado precisam tolerar, por exemplo, a instrução religiosa de fora de suas escolas, e os professores de religião devem tolerar a instrução organizada pelo Estado em questões de educação cívica, história política, ciências naturais e outras disciplinas seculares. É de supor que as crianças aprendam algo sobre como a tolerância funciona na prática e – quando criacionistas, por exemplo, desafiam a instrução do Estado em biologia – algo sobre suas inevitáveis dificuldades.

Os impérios multinacionais fazem exigências mínimas em relação ao processo educacional. É improvável que sua história política, que consiste sobretudo em guerras de conquista, inspire sentimentos de lealdade nos povos conquistados, e assim é melhor eliminá-la do currículo oficial (é mais provável que figure em histórias comunitárias de heroísmo na derrota). A lealdade para com o imperador, retratado como imperador de todos os seus povos, é ensinada com maior freqüência. O imperador, mais do que o império, é o centro da educação oficial, pois o império muitas vezes tem um caráter nacional definido, ao passo que os líderes individuais podem pelo menos fingir estar acima de sua origem nacional. De fato, às vezes, buscam uma transcendência radical, um endeusamento, que os liberta de qualquer identidade particular. Mas isso constitui, contudo, um exemplo de intolerância religiosa quando o imperador endeusado exige que seus súditos o adorem – como aqueles imperadores romanos que tentaram introduzir estátuas de si mesmos no templo de Jerusalém. A escola é um local mais indicado para a imagem do imperador, que pode benignamente contemplar as crianças estudando o que quer que seja, em qualquer língua, sob os auspícios locais ou comunitários.

As consociações também podem ensinar um currículo mínimo, centralizado numa história muitas vezes expurgada de coexistência e cooperação comunitárias e nas instituições mediante as quais isso se concretiza. Quanto maior for o tempo de coexistência, tanto maior será a probabilidade de que a identidade política comunitária tenha assumido um conteúdo cultural próprio – como sem dúvida aconteceu com a identidade suíça – e estará competindo em tudo com as identidades das diferentes comunidades. Todavia, o que se ensina, pelo menos em princípio, é uma história política em que essas comunidades têm um espaço reconhecido e igual.

É óbvio que o caso é muito diferente nos Estados-nações com minorias nacionais, onde uma comunidade é privilegiada sobre todas as outras. Esse tipo de regime é muito mais centralizado do que os impérios e consociações, e assim precisa muito mais (especialmente se tiver uma organização democrática) de cidadãos – homens e mulheres que sejam leais, envolvidos, competentes e familiarizados com o estilo, por assim dizer, da nação dominante. As escolas públicas buscarão produzir cidadãos desse tipo. Os árabes na França, por exemplo, aprenderão a ser leais para com o Estado francês, envolvidos com a política francesa, competentes nas práticas e formas expressivas da cultura política francesa e instruídos acerca da história política e das estruturas institucionais francesas. Em geral, os árabes, pais e filhos, parecem aceitar esses objetivos educacionais. Eles têm buscado, como vimos, afirmar seu compromisso árabe ou muçulmano apenas por meio do simbolismo de suas roupas, e não pela alteração do currículo. Estão ou parecem estar satisfeitos em preservar sua própria cultura em escolas não-estatais, em ambientes religiosos e em casa. Mas a cidadania francesa é um assunto sério, com ressonâncias que vão muito além da esfera exclusivamente política. Seu poder de assimilação e integração tem sido demonstrado ao longo de muitos anos e deve parecer aos olhos de muitos pais, quando não de seus filhos, uma ameaça cultural. Quanto mais países como a França se tornarem (parecidos com) sociedades imigrantes, tanto mais se oporá resistência a essa ameaça.

A forma provável dessa resistência pode ser vista nas guerras curriculares no seio de uma sociedade imigrante como a dos Estados Unidos. Aqui os alunos aprendem que são cidadãos individuais de uma sociedade pluralista e tolerante – onde o que se tolera é sua própria escolha de uma identidade e afiliação culturais. Naturalmente, muitos deles já estão identificados por causa das "escolhas" de seus pais ou, como no caso das identidades raciais, por causa de sua posição num sistema social de diferenciação. Mas, como norte-americanos, têm direito a fazer outras escolhas e deles se exige que tolerem as identidades existentes e as escolhas ulteriores de seus pares. Essa liberdade e essa tolerância constituem o que chamamos de liberalismo americano.

As escolas ensinam as crianças norte-americanas de todos os grupos étnicos, raciais e religiosos a serem liberais nesse sentido, e a serem assim norte-americanas – da mesma forma que nas escolas francesas as crianças aprendem a ser republicanas e portanto francesas. Mas o liberalismo norte-americano é culturalmente neutro de uma forma que o republicanismo francês não pode ser. A diferença parece adequar-se às duas doutrinas políticas: o republicanismo, como ensinou Rousseau, exige uma vigorosa base cultural para sustentar níveis elevados de participação entre os cidadãos; o liberalismo, que é menos exigente, pode permitir mais espaço para a vida privada e a diversidade cultural. Mas essas diferenças podem ser facilmente exageradas[12]. O liberalismo é também uma cultura política substantiva que, no mínimo, tem suas origens na história inglesa e protestante. O reconhecimento de que as escolas norte-americanas de fato refletem essa história, e dificilmente podem ser neutras com respeito a ela, tem levado alguns grupos não-protestantes e não-ingleses a pedir uma educação multicultural – que presumivelmente requer não a subtração da história liberal mas a adição de outras histórias.

Muitas vezes se diz, e com razão, que o objetivo do multiculturalismo é ensinar as crianças sobre a cultura do outro, trazer o pluralismo da sociedade imigrante para dentro da sala de aula. Enquanto a primeira versão da neutralidade, que era entendida ou mal-entendida como uma anulação cultural, visava simplesmente a transformar as crianças em cidadãos norte-americanos (o que quer dizer, torná-las tão parecidas quanto possível aos protestantes ingleses), o multiculturalismo tem por objetivo reconhecê-las como os norte-americanos hifenizados que são e levá-las a entender e admirar sua própria diversidade. Não há razão para pensar que esse entendimento ou admiração crie qualquer tensão em relação às exigências da cidadania liberal – embora seja importante enfatizar mais uma vez que a cidadania liberal é mais descontraída que a de um Estado-nação republicano.

Mas às vezes o multiculturalismo é também um tipo de programa diferente, que visa ao uso das escolas estatais para reforçar as identidades depreciadas ou ameaçadas. O objetivo não é ensinar a outras crianças o que significa ser diferente de uma determinada ma-

---

12. Para uma análise convincente e substantiva das exigências educacionais da democracia liberal, ver Amy Gutmann, *Democratic Education* (Princeton, N.J.: Princeton University Press, 1987).

neira, mas ensinar a crianças supostamente diferentes como serem diferentes da maneira certa. Portanto, o programa é iliberal, pelo menos no sentido de que reforça identidades estabelecidas ou supostas e nada tem a ver com a reciprocidade ou a escolha individual. Provavelmente também implica alguma forma de separação educacional, como na teoria e prática do afrocentrismo, que é um modo de oferecer às crianças negras das escolas públicas o que a Igreja oferece às crianças católicas das escolas particulares. Agora o pluralismo existe apenas no sistema como um todo, não na experiência de cada criança, e o Estado deve intervir para obrigar as diversas escolas a ensinar, além de tudo o que ensinam, os valores do liberalismo norte-americano. O exemplo católico sugere que uma sociedade imigrante pode se arranjar com esse ajuste, pelo menos enquanto a massa de seus alunos está em salas mistas. Não se sabe, porém, se a política liberal poderia se sustentar, caso todas as crianças recebessem alguma versão (sua "própria" versão) de uma educação católica paroquial ou afrocêntrica. Neste caso o sucesso dependeria dos efeitos da educação fora da escola: a experiência cotidiana da comunicação de massas, do trabalho e da atividade política.

Religião civil

Considere-se o que se ensina nas escolas públicas acerca dos valores e virtudes do próprio Estado como a revelação secular de uma "religião civil" (o termo é de Rousseau)[13]. Com exceção do caso do imperador en-

---

13. *The Social Contract*, liv. 4, cap. 8; a aplicação deste termo a práticas da religião civil contemporânea deve-se a Robert Bellah: ver

deusado, essa revelação é religiosa sobretudo por analogia, mas a analogia merece ser investigada. Pois aqui, como o exemplo da escola deixa bem claro, temos uma "religião" que não pode ser separada do Estado: é o próprio credo do Estado, crucial para a sua reprodução e estabilidade ao longo do tempo. A religião civil consiste no conjunto total de doutrinas políticas, narrativas históricas, figuras exemplares, ocasiões festivas e rituais comemorativos pelos quais o Estado imprime a si mesmo nas mentes de seus membros, especialmente de seus membros mais jovens ou mais recentes. Como pode haver mais de um conjunto desses para cada Estado? Sem dúvida as religiões civis somente podem tolerar-se entre si na sociedade internacional, não no seio de um único regime intenso.

De fato, porém, a religião civil muitas vezes provoca intolerância na sociedade internacional por incitar ao orgulho provinciano acerca da vida deste lado da fronteira e à suspeita ou ansiedade quanto à vida do outro lado. Seus efeitos no âmbito nacional, ao contrário, podem ser benéficos, pois a religião civil oferece a todos (deste lado da fronteira) uma identidade básica comum e assim torna a subseqüente diferenciação menos ameaçadora. Com certeza a religião civil, como a educação estatal, às vezes rivaliza com a afiliação a um determinado grupo: daí o caso dos republicanos e católicos franceses do século XIX – ou dos republicanos e muçulmanos atualmente. Mas, como as religiões civis geralmente não têm teologia alguma, também podem acomodar a diferença, até ou especialmente a diferença religiosa. Assim, apesar do con-

---

The Broken Covenant: American Civil Religion in Time of Trial (Nova York: Seabury, 1975).

flito histórico específico dos tempos revolucionários, não há motivo algum que impeça um católico convicto de também ser um republicano dedicado.

A tolerância tende a funcionar bem quando a religião civil se parece menos com uma... religião. Se Robespierre, por exemplo, tivesse conseguido vincular a política republicana a um deísmo plenamente elaborado, talvez tivesse criado uma barreira permanente entre republicanos e católicos (e muçulmanos e judeus). Mas seu fracasso é emblemático: credos políticos assumem a bagagem de crenças religiosas genuínas por sua conta e risco. Seria possível afirmar o mesmo acerca da bagagem de crenças anti-religiosas genuínas. O ateísmo militante tornou os regimes comunistas do Leste europeu tão intolerantes quanto qualquer outra ortodoxia o teria feito – e politicamente fracos em conseqüência disso: não conseguiram incorporar inúmeros de seus próprios cidadãos. A maioria das religiões civis se contenta com uma religiosidade latitudinária, pouco elaborada e vaga, uma religiosidade que é mais uma questão de histórias e feriados do que de crenças claras ou firmes.

É claro que os grupos religiosos ortodoxos podem contestar justamente essa atitude latitudinária, temendo que ela venha a tornar seus filhos tolerantes com o erro religioso ou a descrença secular. Fica difícil saber como responder a esse tipo de ansiedade, é de esperar que se justifique e que as escolas públicas e as histórias e feriados da religião civil venham a exercer precisamente os efeitos que os pais ortodoxos temem. Os pais estão livres para tirar os filhos da escola pública e livrar-se da religião civil por meio de uma ou outra forma de isolamento sectário. Mas não tem sentido argumentar que o respeito pela diversidade impede uma sociedade imigrante como os Estados Unidos de ensinar o respeito pela diversidade. E é certamente uma forma legítima dessa educação liberal contar histórias acerca da história da diversidade e celebrar seus grandes momentos[14].

Em Estados-nações, as histórias e celebrações serão de uma espécie diferente. Serão extraídas da experiência histórica da nação majoritária e ensinarão o valor dessa experiência. Assim, a religião civil possibilitará mais uma distinção no âmbito da maioria – segundo linhas religiosas, regionais e de classe – mas sem estabelecer ponte alguma no sentido dos grupos minoritários. Em vez disso, estabelece um padrão para a assimilação individual: sugere, por exemplo, que para tornar-se francês você precisa ser capaz de imaginar que seus ancestrais tomaram de assalto a Bastilha ou, pelo menos, que o teriam feito se tivessem estado em Paris no tempo certo. Mas uma minoria nacional com uma religião civil própria ainda pode ser tolerada, desde que seus ritos sejam celebrados de modo privado. E seus membros podem tornar-se cidadãos, podem aprender as formas, por exemplo, da cultura política francesa, sem qualquer investimento imaginativo na francesidade.

---

14. Para uma visão diferente das objeções fundamentalistas à educação liberal, ver Nomi Maya Stolzenberg, "'He Drew a Circle That Shut Me Out': Assimilation, Indoctrination, and the Paradox of Liberal Education", *Harvard Law Review* 106 (1993): 581-667. O paradoxo é bastante real, e, no entanto, os pais sobre quem Stolzenberg escreve com tanta compreensão, cristãos fundamentalistas, provavelmente exagerem o efeito das escolas públicas sobre seus filhos. Contudo, a objeção de consciência desses pais e seus filhos pode ser admitida numa sociedade liberal. Ver a resenha de Sanford Levinson da obra de Stephen Carter *Culture of Disbelief* no periódico *Michigan Law Review* 92, nº 6 (maio 1994): 1873-92.

A identidade comum fomentada pela religião civil é particularmente importante nas sociedades imigrantes onde as identidades são, sob outros aspectos, tão diversas. É óbvio que em impérios multinacionais as identidades são ainda mais diversas, mas neste caso, além da figura unificadora do imperador e da obediência geral que ele exige, a identidade comum é menos importante. As sociedades imigrantes contemporâneas também são Estados democráticos e dependem para sua saúde política, pelo menos até certo ponto, do comprometimento e ativismo entre seus cidadãos. Mas, se a religião civil local quiser ampliar e celebrar essas qualidades, precisa acomodar não apenas outras religiões mas também outras religiões civis. Seus protagonistas mais entusiasmados irão, naturalmente, querer substituir as outras. Esse foi o objetivo, por exemplo, das campanhas de americanização do início do século XX. E talvez, de fato, esse venha a ser o efeito a longo prazo da experiência norte-americana. Talvez cada uma das sociedades imigrantes seja um Estado-nação em formação, e a religião civil seja um dos instrumentos da transformação. Contudo, uma campanha a favor disso é um ato de intolerância, um ato que tende a provocar resistência e multiplicar as divisões entre os grupos e também dentro deles.

Acontece que, de qualquer forma, uma religião civil como o americanismo pode conviver, bastante confortavelmente, com o que se poderia chamar de práticas religiosas civis alternativas entre seus próprios participantes. As histórias e celebrações que acompanham, por exemplo, o Dia de Ação de Graças, o Dia dos Mortos, ou o Quatro de Julho podem coexistir na vida comum de irlandeses-americanos, afro-americanos ou judeus-americanos com suas diferentes histórias e celebrações. Aqui diferença não é contradição. Crenças entram em oposição muito mais rápido do que acontece com histórias, e uma celebração não nega, cancela nem refuta outra. De fato, fica mais fácil observar as celebrações privadas familiares ou comunitárias de nossos concidadãos quando sabemos que eles também estarão celebrando publicamente conosco em alguma outra ocasião. Assim a religião civil facilita a tolerância de diferenças parciais – ou nos convida a pensar na diferença como sendo apenas parcial. Somos norte-americanos mas também algo mais, e estamos seguros como algo mais na medida em que somos norte-americanos.

Sem dúvida existem, ou poderiam existir, religiões civis de minorias, ideológica ou teologicamente elaboradas, que contradizem os valores norte-americanos; mas essas religiões não têm estado em grande evidência na vida pública norte-americana. De modo semelhante, não é difícil imaginar um americanismo mais intolerante, um que seja definido, por exemplo, em termos cristãos; vinculado exclusivamente, até do ponto de vista racial, a suas origens européias; ou caracterizado por um conteúdo político restrito. Americanismos dessa natureza existiram no passado (daí a noção de "atividades não-americanas" desenvolvida pela direita anticomunista na década de 30) e continuam existindo, mas nenhum constitui a versão dominante no presente. Não apenas em princípio, mas também na realidade, a sociedade norte-americana é uma coleção de indivíduos com identidades múltiplas, parciais. É claro que as religiões muitas vezes implicaram a negação dessas realidades, e as religiões civis podem tentar uma negação semelhante. Pode até ser verdade que o padrão de diferença nos Estados Unidos e em outras sociedades imigrantes seja instável e temporário. Mesmo assim, uma *Kulturkampf* contra a diferença não é a melhor resposta a essa condição. É provável que a religião civil obtenha mais êxito pela acomodação das múltiplas identidades de homens e mulheres que pretende envolver do que pela oposição a elas. Seu objetivo, afinal, não é uma conversão completa mas apenas a socialização política.

Tolerância com os intolerantes

Devemos tolerar os intolerantes? Essa questão é com freqüência descrita como o problema central e mais difícil na teoria da tolerância. Mas isso não pode estar certo, porque a maioria dos grupos que são tolerados em todos os quatro regimes internos são de fato intolerantes. Há significativos "outros" a respeito dos quais eles não sentem nem entusiasmo nem curiosidade, cujos direitos não reconhecem – a cuja existência de fato, não são nem indiferentes nem resignados. Nos impérios multinacionais, as diferentes "nações" talvez fiquem temporariamente resignadas; acomodam-se à coexistência sob o domínio imperial. Mas, se estivessem dominando, não teriam motivo para resignar-se, e certamente algumas dentre elas tentariam pôr um fim à velha coexistência de um modo ou de outro. Esta poderia ser uma boa razão para negar-lhes poder político, mas não é nenhuma razão para recusar-lhes tolerância no império. O caso é o mesmo em consociações, onde todo o objetivo dos arranjos constitucionais é restringir a provável intolerância das comunidades associadas.

De modo similar, as minorias de Estados-nações e sociedades imigrantes são e devem ser toleradas, mesmo quando se sabe que seus compatriotas ou companheiros de fé que detêm o poder em outros países são brutalmente intolerantes. As mesmas minorias não podem praticar a intolerância aqui (na França, por exemplo, ou nos Estados Unidos), isto é, não podem molestar seus vizinhos ou perseguir ou reprimir indivíduos dissidentes ou hereges no seio de sua comunidade. Mas estão livres para excomungar ou ostracizar dissidentes e hereges, e igualmente livres para crer e declarar que tais pessoas sofrerão a condenação eterna ou não terão lugar na vida futura, ou que qualquer outro grupo de seus concidadãos leva uma vida que Deus rejeita ou que é totalmente incompatível com a prosperidade humana. De fato, muitos dos sectários protestantes para os quais o moderno regime de tolerância foi inicialmente concebido, e que o fizeram funcionar, alimentavam e confessavam tais convicções.

A finalidade da separação entre Igreja e Estado nos regimes modernos é negar poder político a todas as autoridades religiosas, partindo da suposição realista de que todas são pelos menos potencialmente intolerantes. Quando essa negação é eficaz, elas podem aprender a tolerância; melhor dizendo, aprendem a viver como se possuíssem essa virtude. É claro que um número muito maior de crentes a possuem de fato, especialmente no seio das sociedades imigrantes, onde os encontros cotidianos com "outros" internos e externos são inevitáveis. Mas também essas pessoas precisam da separação, e é provável que a aprovem politicamente como uma forma de proteger a si mesmos e a todos os demais contra o possível fanatismo de seus companheiros de fé. A mesma possibilidade de fanatismo também existe entre ativistas e militantes étnicos (nas sociedades imigrantes), e assim também a etnia deve ser separada do Estado, exatamente pelas mesmas razões.

A democracia exige ainda uma outra separação, uma que não é bem entendida: a da própria política em relação ao Estado. Os partidos políticos competem pelo poder e lutam para pôr em prática um programa que é, digamos, talhado por uma ideologia. Mas o partido vencedor, embora possa transformar sua ideologia num conjunto de leis, não pode transformá-la no credo oficial da religião civil. Não pode declarar o dia de sua ascensão ao poder feriado nacional, insistir em que a história do partido seja uma disciplina obrigatória nas escolas públicas, ou usar o poder do Estado para banir as publicações ou assembléias de outros partidos[15]. Isso é o que acontece em regimes totalitários, e é exatamente análogo à oficialização política de uma igreja monolítica única. Religiões que almejam tornar-se oficiais e partidos que sonham com o controle total podem ser tolerados tanto em Estados-nações liberais quanto em sociedades imigrantes, e geralmente são. Mas (como sugeri no início deste ensaio) também se pode impedir que tomem o poder, e até mes-

---

15. A instituição do Dia do Trabalho como um feriado oficial nos Estados Unidos oferece um exemplo interessante do que se pode ou não (ou do que se deve ou não) fazer. O Primeiro de Maio era o feriado do movimento trabalhista e de vários partidos e facções a ele aliados. Tinha um significado político específico restritivo que provavelmente o tornava inadequado para uma celebração nacional. O novo nome e a nova data do feriado [primeira segunda-feira de setembro] possibilitaram uma celebração que não é específica nem ideológica, que pertence não tanto ao movimento dos trabalhadores mas sobretudo aos próprios seres humanos.

mo que concorram para isso[16]. Nesses casos a separação significa que estão confinados na sociedade civil: podem pregar, escrever e reunir-se; só lhes é permitida uma existência sectária.

---

16. Cf. o argumento de Herbert Marcuse a favor de limites muito mais radicais: "a revogação da tolerância antes do ato, no estágio da comunicação oral, impressa e pictórica" ("Repressive Tolerance", em Robert Paul Wolff, Barrington Moore, Jr., e Herbert Marcuse, *A Critique of Pure Tolerance* [Boston: Beacon, 1965], p. 109). A argumentação de Marcuse deriva de uma extraordinária confiança em sua habilidade pessoal de reconhecer "as forças de emancipação" e assim recusar a tolerância somente aos inimigos delas.

CAPÍTULO CINCO

Tolerância moderna e pós-moderna

Os projetos modernos

Já explorei alguns dos limites da tolerância, mas falta discutir os regimes de intolerância, que é o que muitos impérios, Estados-nações e sociedades imigrantes realmente são. Nesses regimes, a tolerância da diferença é substituída por uma pressão no sentido da unidade e singularidade. O centro imperial visa a criar algo mais parecido com um Estado-nação: daí as campanhas de "russificação" dos czares do século XIX. Ou o Estado-nação aumenta a pressão sobre minorias e imigrantes: assimilem-se ou vão embora! Ou então a sociedade imigrante esquenta seu "caldeirão", no intuito de forjar uma nova nacionalidade (geralmente calcada nos moldes de algum grupo dos primeiros colonizadores ou imigrantes). A "americanização" do início do século XIX nos Estados Unidos é o exemplo que usei para este último projeto, que de fato representa um esforço para trazer imigrantes sem incorporar a diferença.

Esforços dessa natureza às vezes conseguem apagar diferenças culturais e religiosas, mas às vezes, quando tocam as raias de uma impiedosa perseguição, servem na verdade para reforçá-las. Estigmatizam os membros de grupos minoritários, discriminam-nos por pertencerem a eles, obrigam-nos a uma dependência mútua e forjam intensas solidariedades. Contudo, nem os líderes desses grupos minoritários nem seus membros mais dedicados escolheriam um regime de intolerância[1]. Sempre que possível, buscarão alguma forma de tolerância individual ou coletiva: a assimilação de membro por membro no corpo de cidadãos ou o reconhecimento de seu grupo na sociedade nacional ou internacional, com um certo grau de independência – autonomia funcional ou regional, consociação ou condição de Estado soberano.

Poderíamos pensar nessas duas formas de tolerância – assimilação individual ou reconhecimento do grupo – como sendo os projetos centrais da política democrática moderna. De maneira típica, são concebidos em termos mutuamente exclusivos: ou os indivíduos ou os grupos ficarão livres da perseguição e invisibilidade, e os indivíduos ficarão livres na medida em que abandonarem seus grupos. Já me referi à

---

1. O famoso argumento de Jean-Paul Sartre de que o anti-semitismo é o que sustenta a identidade judaica pode ser repetido em relação a muitos outros grupos minoritários, mas é pouco provável que seja aceito pelos membros desses grupos (especialmente pelos mais comprometidos), que dão valor à história e cultura de seu grupo e acreditam que é esse valor que gera a identificação individual. Ver meu prefácio a *Anti-Semite and Jew.*

descrição que fez Sartre desta última posição, cuja origem está na Revolução Francesa. Os revolucionários visavam primeiro a libertar o indivíduo das velhas comunidades corporativas e a estabelecê-lo dentro de um círculo de direitos – e visavam depois a ensinar a esses homens (e mulheres), detentores de direitos, seus deveres de cidadania. Entre o indivíduo e o regime político, a república dos cidadãos franceses, só havia (na mente do revolucionários) um espaço vazio, que facilitava a passagem tranqüila da vida privada para a vida pública, e assim incentivava a assimilação cultural e a participação política.

Os democratas e liberais pós-revolucionários passaram aos poucos a dar valor às associações intermediárias que realmente preenchem esse espaço, tanto como expressões de crenças e interesses individuais quanto como escolas de democracia. Mas essas mesmas associações também oferecem uma espécie de abrigo para as minorias nacionais, onde se pode cultivar a identidade coletiva e resistir às pressões de assimilação. Os democratas liberais podem aceitar tanto esse cultivo quanto a resistência, dentro de certos limites, até o ponto (cuja localização é sempre discutida) em que as associações ameacem reprimir os membros individuais ou diminuir seu compromisso com a república. Os cidadãos republicanos toleram os indivíduos de minorias aceitando-os, seja qual for sua religião ou etnia, como concidadãos, e depois tolerando os grupos que eles formam – na medida em que estes são, no sentido mais forte do termo, associações secundárias.

A inclusividade democrática é o primeiro projeto modernista. Podemos imaginar a política da esquerda democrática nos dois últimos séculos como uma série de lutas pela inclusão: judeus, trabalhadores, mulheres, negros e imigrantes de muitas espécies diferentes atacam e fendem os muros da cidade burguesa. No decurso da luta, criam fortes movimentos e partidos, organizações para defender-se e avançar em conjunto. Mas, quando entram na cidade, entram como indivíduos.

A alternativa para a entrada é a separação. Esse é o segundo projeto modernista: dar ao grupo como um todo uma voz, um lugar e uma política própria. Agora o que se exige não é uma luta pela inclusão, mas uma luta por fronteiras. A principal palavra de ordem dessa luta é "autodeterminação", que implica a necessidade de um pedaço de território ou pelo menos de um conjunto de instituições independentes – daí, a descentralização, a devolução, a autonomia, a divisão, ou a soberania. Estabelecer fronteiras corretas, não apenas em termos geográficos mas também funcionais, é extremamente difícil. Cada resolução política é renhidamente disputada. Mas é preciso que haja alguma resolução para que os diferentes grupos exerçam um controle significativo sobre seu próprio destino e façam isso com certa segurança.

O trabalho prossegue atualmente: adaptando os velhos arranjos imperiais e ampliando o sistema internacional moderno; gerando Estados-nações, regiões independentes, sociedades distintas, autoridades locais e assim por diante. Observe-se o que está sendo reconhecido e tolerado neste segundo projeto: são sempre grupos e seus membros, homens e mulheres concebidos como tendo identidades singulares ou pelo menos primárias de natureza religiosa ou étnica. O trabalho depende naturalmente da mobilização dessas pessoas, mas apenas seus líderes se engajam de fato entre si, cruzando fronteiras, estabelecendo contatos individuais (exceto quando o engajamento é de natureza militar). A autonomia comunitária confirma a autoridade das elites tradicionais; a consociação em geral toma a forma de um acerto de divisão de poder entre essas mesmas elites; os Estados-nações interagem por meio de corpos diplomáticos e líderes políticos. Para a massa dos membros do grupo, a tolerância é mantida pela separação, partindo-se do pressuposto de que essas pessoas se vêem como membros e querem associar-se sobretudo entre si. Elas acreditam que "boas cercas fazem bons vizinhos"[2].

Mas esses dois princípios também podem ser perseguidos simultaneamente por diferentes grupos ou até por diferentes membros do mesmo grupo. De fato, essa última possibilidade muitas vezes se concretiza. Algumas pessoas procuram fugir dos limites de sua afiliação religiosa ou étnica, declarando-se apenas cidadãs, ao passo que outras querem ser reconhecidas e toleradas precisamente como membros de uma comunidade organizada de crentes religiosos ou parentes étnicos. Indivíduos com forte vontade própria (ou simplesmente excêntricos) que se afastaram de seu ambiente comunitário coexistem com os homens e mulheres comprometidos (ou simplesmente estabelecidos) que constituem esse ambiente e procuram chamar a atenção para ele. Então os dois projetos parecem competir entre si. Deveríamos preferir a evasão individual ou o compromisso com o grupo? Não há um bom motivo, porém, para uma preferência fixa. A ten-

---

2. Esse verso é pronunciado por um personagem do poema narrativo de Robert Frost "Mending Wall" (*The Poems of Robert Frost* [Nova York: Modern Library, 1946], pp. 35-6). O poeta não o endossa totalmente.

são precisa ser solucionada caso a caso, de modo diferente para grupos diferentes em regimes diferentes (já examinamos alguns exemplos). Não há como superar a tensão, pois de que se afastariam os indivíduos se o compromisso com o grupo entrasse em colapso? Que orgulho sentiriam numa evasão em que nunca se lhes opôs resistência? E quem seriam eles se não tivessem de lutar para ser o que são? A coexistência de grupos fortes e indivíduos livres, com todas as suas dificuldades, é uma característica permanente da modernidade.

Pós-modernidade?

O último dos meus modelos de tolerância, porém, aponta para um padrão diferente, que é, talvez, um projeto pós-moderno. Em sociedades imigrantes (e agora também em Estados-nações sob a pressão de imigrantes), as pessoas começaram a provar o que poderíamos considerar como uma vida sem fronteiras definidas e sem identidades singulares ou seguras. A diferença está, por assim dizer, dispersa, de modo que se encontra em toda parte, todo dia. Os indivíduos fogem de seus limites provincianos e se misturam livremente com membros da maioria, mas sem necessariamente assimilar-se a uma identidade comum. O controle do grupo sobre seus membros é mais frouxo do que jamais foi no passado, mas não é de modo algum anulado por inteiro. O resultado é uma constante mistura de indivíduos de identidade ambígua, o casamento entre indivíduos de grupos diferentes, e portanto um multiculturalismo muito intenso que se percebe não apenas na sociedade como um todo mas também num número crescente de famílias e até mesmo de indivíduos. Agora a tolerância começa em casa, onde muitas vezes precisamos conviver em paz étnica, religiosa e cultural com nossas esposas, parentes e filhos – e com nossas próprias identidades divididas ou hifenizadas.

Esse tipo de tolerância é particularmente problemático para a primeira geração de famílias mistas e identidades divididas quando cada um ainda se lembra, e talvez com nostalgia, de comunidades mais coerentes e de uma consciência mais unificada. O fundamentalismo representa esse tipo de nostalgia na forma ideológica; sua intolerância se volta, como já argumentei, não tanto contra outras ortodoxias quanto contra a confusão e anarquia seculares. No entanto, mesmo para pessoas sem inclinações fundamentalistas, o contato próximo com a diferença pode ser perturbador. Porque muitas dentre elas ainda sentem certa lealdade, ou pelo menos nostalgia, em relação aos grupos aos quais elas, seus pais e avós (de um lado ou de outro da família) estão historicamente vinculados.

Imagine agora, algumas gerações mais tarde ao longo do caminho pós-moderno, homens e mulheres desprovidos de quaisquer desses vínculos, plasmando seus próprios "seres" com os fragmentos que sobraram de antigas culturas e religiões (e com qualquer outra coisa à sua disposição). As associações formadas por esses indivíduos que se fizeram e se fazem por si sós tenderão a ser pouco mais do que alianças temporárias, que podem facilmente romper-se quando algo mais promissor se apresenta. Não serão a tolerância e a intolerância substituídas, nesse contexto, por simples preferências e aversões pessoais? Será que as antigas discussões públicas e conflitos políticos sobre quem e até que ponto tolerar não serão substituídos por melodramas privados? Nessa perspectiva, fica difícil prever um futuro para qualquer um dos regimes de tolerância. Nossa resposta, suponho, será de resignação, indiferença, estoicismo, curiosidade e entusiasmo em relação aos tiques e fraquezas de nossos semelhantes pós-modernos. Mas sendo que esses cidadãos – esses outros – não se apresentarão em conjuntos reconhecíveis, nossas respostas não terão um padrão fixo.

O projeto pós-moderno solapa qualquer espécie de identidade comum e comportamento-padrão. Origina uma sociedade em que os pronomes plurais "nós" e "eles" (e até mesmo os pronomes mistos "nós" e "eu") não têm referentes fixos; aponta para a própria perfeição da liberdade individual. A escritora búlgaro-francesa Julia Kristeva está entre os mais interessantes defensores teóricos desse projeto; ela nos exorta a reconhecer um mundo de estrangeiros ("pois somente a condição de estrangeiro é universal") e a reconhecer o estrangeiro em nós mesmos. Além da argumentação psicológica, que aqui devo deixar de lado, ela reafirma uma argumentação moral muito antiga cuja primeira versão é a injunção bíblica "Não oprimais o estrangeiro, pois vós fostes estrangeiros na terra do Egito". Kristeva muda o pronome, o tempo verbal e a geografia, tendo em vista uma reiteração contemporânea: não oprimamos o estrangeiro, pois somos todos estrangeiros aqui nesta terra. Com certeza é mais fácil tolerar a alteridade se reconhecemos o outro em nós mesmos[3].

Mas se todos são estrangeiros, então ninguém o é. Pois se não experimentamos a igualdade de algum

---

3. Julia Kristeva, *Nations Without Nationalism*, trad. Leon S. Roudiez (Nova York: Columbia University Press, 1993), pp. 21 e passim. Ver também Kristeva, *Strangers to Ourselves*, trad. Leon S. Roudiez (Nova York: Columbia University Press, 1991).

modo vigoroso, não poderemos sequer reconhecer a alteridade. Uma associação de estrangeiros seria no máximo um agrupamento momentâneo, que existiria apenas em oposição a alguma comunidade permanente. Se essa comunidade permanente não existisse, não existiria aquela associação. É possível imaginar funcionários públicos "tolerando" todos os estrangeiros pós-modernos; o código criminal estabeleceria os limites da tolerância, e nada mais seria necessário. Mas a política da diferença, a negociação em curso das relações grupais e direitos individuais, seria então efetivamente abolida.

Kristeva tenta descrever o Estado-nação que está caminhando, por assim dizer, para essa condição. Usa a França (na medida em que esta segue o legado de seu Iluminismo) como exemplo de uma "ótima interpretação" – e isso faz dela um desses imigrantes ideais que tem um patriotismo mais baseado em princípios do que a maioria dos nascidos na França jamais pôde atingir. A França, escreve Kristeva, é na melhor das hipóteses uma sociedade "em transição" onde as tradições nacionais ainda são "tenazes," mas onde os indivíduos podem, pelo menos até certo ponto, determinar suas próprias identidades e criar seus próprios agrupamentos sociais "por meio da lucidez mais do que pelo destino". E essa autodeterminação aponta para uma comunidade "ainda imprevisível," mas obviamente imaginável, "uma comunidade polivalente (...) um mundo sem estrangeiros" – o que deve também significar uma França sem os franceses (e assim Kristeva é, talvez, apenas uma patriota temporária)[4].

Nem mesmo as sociedades imigrantes mais avançadas – em que os indivíduos autoformados e as ver-

---

4. Kristeva, *Nations Without Nationalism*, pp. 35-43.

sões individualizadas de cultura e religião têm tido uma presença notavelmente mais forte do que na França – já podem ser consideradas "comunidades polivalentes". Só estamos na primeira geração: não vivemos o tempo todo num mundo de estrangeiros e também não nos defrontamos com a condição de estrangeiro uns dos outros apenas no nível individual. Em vez disso, ainda provamos a diferença de modo coletivo, em situações em que as relações pessoais devem ser apoiadas pela política da tolerância. Não é que o projeto pós-moderno simplesmente suplanta o modernismo, como numa grandiosa metanarrativa de estágios históricos. O projeto pós-moderno se sobrepõe ao moderno, sem absolutamente apagá-lo. Ainda há fronteiras, mas já estão ofuscadas pelos inúmeros cruzamentos que ocorrem. Ainda sabemos que nós somos isso ou aquilo, mas o sabemos de modo incerto, pois também somos isso *e* aquilo. Grupos com identidades fortes existem e se afirmam politicamente, mas a fidelidade de seus membros é medida por uma escala ao longo de um amplo *continuum*, com números cada vez maiores agrupados no extremo oposto (e é por esse motivo que os militantes do lado de cá são tão estridentes nos dias de hoje).

Esse dualismo do moderno e pós-moderno exige que a diferença seja duplamente acomodada, primeiro em suas versões singulares individuais e coletivas e depois em suas versões pluralistas, dispersas e divididas. Precisamos ser tolerados e protegidos como cidadãos do Estado e membros de grupos – e também como estrangeiros em relação a ambos. A autodeterminação precisa ser ao mesmo tempo política e pessoal – os dois aspectos estão relacionados, mas não são a mesma coisa. O velho entendimento da diferença, que vincula os indivíduos a seus grupos autônomos ou soberanos, encontrará resistência por parte de indivíduos dissidentes e ambivalentes. Mas qualquer entendimento novo centralizado somente nos dissidentes encontrará resistência por parte de homens e mulheres que ainda lutam para absorver, praticar, elaborar, revisar e transmitir uma tradição cultural ou religiosa comum. Assim, pelo menos por enquanto, a diferença precisa ser tolerada duas vezes – no nível pessoal e também no político – com alguma dose (não necessariamente a mesma para os dois casos) de resignação, indiferença, estoicismo, curiosidade e entusiasmo.

Não tenho, porém, certeza de que essas duas versões da tolerância sejam moral ou politicamente equivalentes. As identidades divididas da pós-modernidade parecem ser parasitárias dos grupos indivisos de onde saíram, grupos que formam a base cultural, por assim dizer, de sua autoformação. De que lucidez gozarão os sujeitos de Kristeva, se não for a lucidez acerca de suas tenazes tradições? Quanto mais se afastarem de sua base cultural, tanto menos material terão com que trabalhar. Será que o projeto pós-moderno, visto sem seu indispensável contexto histórico, não tende a produzir indivíduos cada vez mais vazios e uma vida cultural radicalmente diminuída? Pode haver, então, bons motivos para conviver de modo permanente com os problemas daquilo que chamei de primeira geração. Deveríamos valorizar a extraordinária liberdade pessoal de que gozamos como estrangeiros e possíveis estrangeiros no seio de sociedades contemporâneas "em transição". Mas também precisamos, ao mesmo tempo, formar os regimes de tolerância de maneiras que fortaleçam os diferentes grupos e talvez até incentivem os indivíduos a identificar-se fortemente com um ou mais deles. A modernidade exige, segundo argumentei, uma tensão permanente entre o indivíduo e o grupo, o cidadão e o membro. A pós-modernidade exige uma tensão igualmente permanente com a própria modernidade: entre cidadãos e membros, de um lado, e entre o ser dividido, e o estrangeiro cultural, de outro. A liberdade radical é uma coisa tênue, a não ser que exista num mundo que lhe ofereça significativa resistência.

Mas se isso está correto, então minha afirmação anterior de que a tolerância funciona bem com qualquer uma das atitudes do *continuum* de resignação, indiferença, estoicismo, curiosidade e entusiasmo pode ter sido refutada em nossa própria época. É só quando os grupos se preservam a si mesmos que a resignação, a indiferença ou a aceitação estóica são suficientes para a coexistência. Esse, de fato, tem sido o pressuposto de todos os regimes: o de que os grupos religiosos, nacionais e étnicos simplesmente existem; de que eles controlam fortes lealdades que precisam, no máximo, modificar-se a fim de criar espaço para o patriotismo e uma cidadania comum. Mas se os grupos são fracos e precisam de ajuda (como no caso norte-americano, conforme argumentarei no epílogo), então alguma dose de curiosidade e entusiasmo se faz necessária. Só isso motivará a ajuda de que os grupos precisam. Indivíduos livres e isolados em sociedades democráticas não oferecerão essa ajuda nem autorizarão seus governos a fazê-lo, a menos que reconheçam a importância dos grupos (do seu e de todos os outros) na formação de indivíduos como eles mesmos – a menos que reconheçam que o objetivo da tolerância não é, e nunca foi, o de abolir o "nós" e o "eles" (e com certeza não é o de abolir o "eu"), mas o de garantir a continuidade de sua coexistência e interação pacíficas. As identidades divididas da pós-modernidade complicam a coexistência, mas também dependem dela para a sua própria criação e auto-entendimento.

Reflexões sobre o multiculturalismo norte-americano

Duas poderosas forças centrífugas estão em ação nos Estados Unidos hoje. Uma desprende grupos inteiros de um centro supostamente comum; a outra joga indivíduos no espaço. Esses dois movimentos descentralizadores e separatistas têm ambos seus críticos, argumentando que o primeiro é movido por um chauvinismo de mentalidade tacanha e o segundo, por puro egoísmo. Os grupos separados são vistos por esses críticos como tribos exclusivistas e intolerantes; os indivíduos isolados, como desenraizados, solitários e insuportavelmente egotistas. Nenhuma dessas duas visões está inteiramente errada, mas nenhuma está certa por inteiro. Os dois movimentos devem ser considerados em conjunto, dentro do contexto de uma sociedade imigrante e uma política democrática que combinados permitem a atuação dessas forças centrífugas. Entendidos em seus contextos, os dois movimentos me parecem, apesar das leis da física, ser o remédio um para o outro.

A primeira dessas duas forças é uma articulação cada vez mais forte da diferença grupal. A novidade está, obviamente, na articulação, uma vez que a diferença em si – o pluralismo e até o multiculturalismo – tem sido uma característica da vida norte-americana desde os primórdios. John Jay, num de seus *Federalist Papers* (nº 2), descreve os norte-americanos como um povo "que descende dos mesmos ancestrais, fala a mesma língua, professa a mesma religião, está vinculado aos mesmos princípios de governo, e tem maneiras e costumes muito semelhantes". Essa afirmação já não era correta quando Jay a escreveu na década de 1780, e foi totalmente desmentida no decurso do século XIX. A imigração em massa transformou os Estados Unidos numa terra de múltiplos e diferentes ancestrais, línguas, religiões, maneiras e costumes. Princípios políticos, máximas de tolerância: aqui está nosso único compromisso comum e permanente. A democracia e a liberdade fixam os limites e estabelecem as regras básicas do pluralismo norte-americano.

O contraste que venho estabelecendo no âmbito da tipologia dos regimes pode ajudar-nos a captar o caráter radical desse pluralismo. Considere-se, primeiro, a (relativa) homogeneidade de Estados-nações como França, Holanda, Noruega, Alemanha, Japão e China, onde, sejam quais forem as diferenças regionais, a grande maioria dos cidadãos partilha de uma única identidade étnica e celebra uma história comum. E considere-se, em segundo lugar, a heterogeneidade de base territorial dos velhos impérios multinacionais e depois dos Estados que são hoje seus herdeiros – como a ex-Iugoslávia, a nova Etiópia, a nova Rússia, Nigéria, Iraque, Índia e assim por diante – onde um número de minorias étnicas e religiosas reivindicam antigos solos pátrios (mesmo que as fronteiras estejam sempre em disputa). Os Estados Unidos diferem de ambos os conjuntos de países. Não são homogêneos do ponto de vista nacional ou local; são heterogêneos em toda parte – uma terra de diversidade dispersa que não é solo pátrio de ninguém (com exceção dos norte-americanos nativos que ainda restam). Naturalmente, existem padrões locais de segregação, voluntária e involuntária; há vizinhanças étnicas e lugares que são, de modo impreciso mas evocativo, chamados "guetos". Mas nenhum de nossos grupos, com a exceção parcial e temporária dos mórmons em Utah, jamais conseguiu algo semelhante a um predomínio geográfico estável. Não temos uma versão norte-americana da Eslovênia, do Quebec ou do Curdistão. Mesmo nos ambientes mais protegidos, os norte-americanos provam a diferença todos os dias.

E no entanto a articulação completa e entusiasta da diferença nos Estados Unidos é um fenômeno relativamente recente. Uma longa história de preconceito, subordinação e medo trabalhou contra qualquer afirmação pública de "maneiras e costumes" de minorias e serviu assim para ocultar o caráter radical do pluralismo norte-americano. Quero ser bem claro a respeito dessa história. Nos extremos, ela foi brutal, como podem atestar os nativos conquistados e os escravos negros transportados para cá; no centro, no que se refere a religião e etnia mais do que a raça, foi relativamente benigna. Sendo uma sociedade imigrante, acolhia os novos imigrantes ou pelo menos criava espaço para eles, tolerava suas crenças e práticas com um grau de relutância bastante abaixo dos padrões fixados em outras partes. Contudo, todas as nossas minorias aprenderam a ficar em silêncio. A timidez foi a marca da política das minorias até pouco tempo atrás. A compreensão plena do que significa viver entre imigrantes veio muito devagar.

Lembro-me, por exemplo, de como nas décadas de 30 e 40 qualquer sinal de afirmação judaica – mesmo a presença de "muitos" nomes judeus entre os democratas do New Deal, organizadores sindicais ou intelectuais socialistas ou comunistas – era recebido entre os judeus com um calafrio coletivo. Os anciãos da comunidade diziam: "Silêncio!" Não façam barulho; não chamem a atenção; não queiram aparecer; não digam nada provocador. Era dessa maneira que entendiam o conselho dado pelo profeta Jeremias aos primeiros judeus exilados na Babilônia mais de dois milênios antes e desde então sempre repetido: "Procurai a paz da cidade, para onde eu vos deportei" (Jr. 29:7) – isto é, sejam leais aos poderes que existirem e mantenham uma atitude política discreta. Os imigrantes judeus consideravam-se exilados, hóspedes dos (verdadeiros) norte-americanos, muito tempo depois de tornar-se cidadãos norte-americanos.

Hoje tudo isso é, como se diz, história. Os Estados Unidos são, do ponto de vista social, embora não do econômico, um lugar mais igualitário do que eram cinquenta ou sessenta anos atrás. O contraste entre a igualdade social e a econômica é muito importante, e voltarei ao ponto; mas quero agora deter-me no aspecto social. Não há mais ninguém nos pedindo silêncio; ninguém é intimidado ou silenciado. Antigas identidades religiosas e raciais assumiram uma proeminência maior em nossa vida pública; preferências de gênero e sexo somaram-se à confusão; e a corrente atual de imigração da Ásia e América Latina faz surgirem novas e significativas diferenças entre cidadãos norte-americanos e potenciais cidadãos. E a impressão que se tem é que tudo isso se manifesta o tempo todo. As vozes são fortes, os sotaques variados e o resultado não é a harmonia – conforme a velha imagem do pluralismo como uma sinfonia, com cada grupo tocando seu instrumento (mas quem compôs a música?). O resultado é uma desafinação estridente. Assemelha-se muito à dissidência protestante no início da Reforma, com muitas seitas dividindo-se e subdividindo-se e muitos profetas e supostos profetas falando todos ao mesmo tempo. Daí a centralidade da tolerância como questão política, manifesta em ruidosas discussões sobre correção política, discurso do ódio, currículos multiculturais, primeira e segunda línguas, imigração e assim por diante.

Em resposta a essa cacofonia, um outro grupo de profetas – intelectuais, acadêmicos e jornalistas liberais e neoconservadores – demonstra sua angústia e nos assegura que o país está se desintegrando, que nosso pluralismo articulado com tanto fervor é perigosamente divisório e que precisamos desesperadamente reafirmar a hegemonia de uma cultura única. É curioso notar que essa cultura supostamente necessária e necessariamente única é muitas vezes descrita como uma cultura elevada, como se o que nos tivesse mantido unidos todos esses anos fosse o nosso compromisso com Shakespeare, Dickens e James Joyce. Mas sem dúvida a cultura elevada nos divide, como sempre o fez – e provavelmente sempre fará em qualquer país onde haja uma forte pressão igualitária e populista. Será que ninguém se lembra do ensaio *Anti-Intellec-*

tualism in American Life de Richard Hofstadter?[1] Os movimentos políticos que visam à unidade tendem a invocar um nativismo vulgar e inautêntico cujo conteúdo cultural é certamente baixo. Esses movimentos não apelam para o cânone literário ou filosófico. Mas há uma resposta melhor para o pluralismo, a meu ver: a própria política democrática, onde todos os membros de todos os grupos são (em princípio) cidadãos iguais que precisam não apenas discutir entre si mas também, de algum modo, chegar a um acordo. O que eles aprendem no decorrer das negociações e acertos necessários é provavelmente mais importante do que tudo o que poderiam obter estudando o cânone. Precisamos pensar sobre o modo de promover e aprendizagem prática e democrática.

Mas será que essa aprendizagem já não está sendo bem promovida – considerando-se que conflitos multiculturais acontecem na arena democrática e exigem de seus protagonistas uma vasta gama de habilidades e atuações tipicamente democráticas? Quem estuda a história de associações religiosas, étnicas e raciais nos Estados Unidos percebe, penso eu, que muitas vezes elas funcionaram como veículos de integração individual e grupal – apesar (ou, talvez, por causa) dos conflitos políticos que provocaram[2]. Mes-

---

1. (Nova York: Knopf, 1963).
2. Irving Howe apresenta a mesma idéia em relação às associações políticas de esquerda em seu livro *Socialism and America* (San Diego: Harcourt Brace Jovanovich, 1985), no qual descreve como os militantes socialistas se tornaram organizadores e líderes sindicais e depois passaram a desempenhar funções em campanhas locais e estaduais do Partido Democrata. Essa visão do socialismo como uma "escola preparatória" para os partidos e movimentos principais não

mo que o objetivo da vida associativa seja preservar uma diferença, esse objetivo tem de ser alcançado em condições norte-americanas, e o resultado em geral é uma nova e imprevista espécie de diferenciação. Já citei um exemplo desse fenômeno: a diferenciação dos judeus e católicos norte-americanos não tanto entre si ou em relação à maioria protestante quanto em relação aos católicos e judeus de outros países. Os grupos minoritários se adaptam à cultura política local: tornam-se americanos hifenizados. E se seu primeiro objetivo é a autodefesa, a tolerância, os direitos civis, um lugar ao sol, a conseqüência de seu êxito é, de modo ainda mais claro, uma americanização de quaisquer diferenças que estejam sendo defendidas.

Mas o mesmo acontece com grupos majoritários ou "nativistas". Eles também estão sendo forçados a adaptar-se a uma América cheia de estranhos. Imaginando a si mesmos os norte-americanos originais, também estão sendo lenta e penosamente "americanizados". Não estou querendo sugerir que as diferenças sejam aceitas ou defendidas em silêncio. O silêncio não é uma de nossas convenções políticas; tornar-se norte-americano significa muitas vezes aprender a não ficar calado. E o êxito obtido por um grupo nem sempre é compatível com o êxito de todos ou de alguns dos outros. Os conflitos são reais, e até pequenas vitórias podem ser uma grande ameaça. Este é um ponto importante: a tolerância põe fim à perseguição e ao medo, mas não é uma fórmula de harmonia social. Os grupos que acabaram de receber tolerância, na medida em que

---

traz, segundo argumenta Howe, nenhum consolo para os socialistas. Entrar na corrente principal é, de fato, um processo penoso. Ver sua análise, pp. 78-81 e 141.

são realmente diferentes, também serão com freqüência antagônicos e buscarão vantagens políticas.

As maiores dificuldades, todavia, provêm da condição de desvantagem e de fracasso, especialmente
do fracasso repetido. É a fraqueza da associação, com
seus conseqüentes ressentimentos e ansiedades, que
separa as pessoas umas das outras de modo perigoso
e produz novas formas de intolerância e fanatismo –
como nas versões mais ferrenhas e puritanas do "politicamente correto" e nas alegações mais extravagantes
da mitologia racial e étnica. Os grupos mais barulhentos em nossa cacofonia contemporânea, e os grupos
que fazem as exigências mais extremas, são também
os mais fracos e mais pobres. Nas cidades norte-americanas de hoje, os pobres, em geral membros de grupos minoritários, têm dificuldade para trabalhar em
conjunto de alguma forma coerente. A assistência mútua, a preservação cultural e a autodefesa são afirma-
das ruidosamente mas praticadas de modo ineficaz.
Os pobres de hoje não contam com instituições sóli-
das ou bem fundadas que possam canalizar suas ener-
gias ou disciplinar membros indóceis. Estão social-
mente expostos e vulneráveis.

O que vem acontecendo nos Estados Unidos nas
últimas décadas é ao mesmo tempo inesperado e perturbador – mas talvez seja também animador, sob um
aspecto que preciso explicar. A brecha econômica
aumentou mesmo enquanto diminuiu a brecha social;
as desigualdades de renda e recursos são hoje maiores do que eram há meio século. Mas esse fato não
gera como conseqüência, no quarto ou quinto esca-
lão mais baixos da ordem social, uma conscientização
"apropriada", o reflexo mental da derrota: resignação e
deferência. Não existe uma cultura difundida de acei-

tação passiva, nenhum grupo de pessoas moralmente preparadas para serem maleáveis e resignadas, como os "respeitáveis pobres" de – assim parece – muito tempo atrás. Ou se existem pessoas assim, elas são, mais do nunca, invisíveis – cultural e politicamente desarticuladas e não representadas. O que vemos é sem dúvida muito deprimente: um grande número de homens e mulheres isolados, impotentes e muitas vezes desmoralizados, que são representados, e também explorados, por um grupo cada vez maior de demagogos religiosos e raciais e falsos carismáticos. Mas pelo menos essas pessoas não estão caladas, esmagadas, quebradas, e assim percebe-se que no mínimo algumas delas poderiam estar disponíveis para uma mobilização mais promissora num contexto político diferente.

O contexto político, todavia, é o que é, e não oferece grandes esperanças a curto prazo. Fraqueza é a característica geral, embora irregular, da vida associativa nos Estados Unidos de hoje. Qualquer programa de renovação política deve começar dessa realidade. Sindicatos, igrejas, grupos de interesse, organizações étnicas, partidos e facções políticos, sociedades para o aperfeiçoamento pessoal e obras de caridade, iniciativas filantrópicas locais, clubes e cooperativas regionais, associações religiosas, fraternidades e irmandades: a sociedade civil norte-americana é maravilhosamente extensa. A maioria dessas associações, todavia, está estabelecida de modo precário, com orçamentos minguados, e sempre correndo riscos. Elas têm menos alcance e capacidade de se manter do que ocorria em outros tempos[3]. O número de norte-americanos desorganiza-

---

3. Esse é o argumento de Robert Putnam em vários trabalhos que até agora (enquanto escrevo) não apareceram em forma de livro.

dos, inativos e indefesos (embora ainda zangados e barulhentos) está crescendo. Por que isso acontece?

A resposta está relacionada em parte com a segunda força centrífuga atuando na sociedade norte-americana contemporânea. Esse país não é apenas um pluralismo de grupos mas também um pluralismo de indivíduos. Seu regime de tolerância concentra-se, como vimos, mais em escolhas e estilos pessoais do que em formas de vida comuns. Talvez seja a sociedade mais individualista da história humana. Comparados com homens e mulheres de países mais antigos, do velho mundo, somos todos radicalmente liberados. Somos livres para traçar nossa rota; para planejar nossas vidas; para escolher uma carreira, um parceiro (ou uma sucessão deles), uma religião (ou nenhuma), uma ideologia política (ou antipolítica), um estilo de vida (qualquer que seja) – somos livres para fazer "nossa própria vontade". A liberdade pessoal e as formas radicais de tolerância que a acompanham são com certeza as realizações mais extraordinárias da "nova ordem dos tempos" celebrada no selo real dos Estados Unidos. A defesa dessa liberdade contra puritanos e fanáticos é um dos temas permanentes da política norte-americana e é responsável por seus momentos

---

Ouvi críticos argumentarem que de fato existem associações que estão crescendo nos Estados Unidos hoje – organizações de setores pessoais de várias espécies que oferecem serviços a seus membros (como a Associação Americana de Aposentados), grupos terapêuticos (como os Alcoólicos Anônimos), redes no espaço cibernético e assim por diante. Mas não está claro que esses grupos oferecem o mesmo treinamento e disciplina para o trabalho comum que eram oferecidos pelos partidos, movimentos e igrejas com os quais Putnam se preocupa em primeiro lugar. Ver seu trabalho "Bowling Alone: America's Declining Social Capital", *Journal of Democracy* 6 (jan. 1995): 65-78.

mais agradáveis. A celebração dessa liberdade, e da individualidade e criatividade que ela permite, é um dos temas constantes de nossa literatura.

No entanto, a liberdade pessoal não é um prazer puro, pois muitos norte-americanos não têm os meios e o poder para "fazer a própria vontade" ou até mesmo descobrir o que querem fazer. Essa capacitação é, com mais freqüência, uma proeza da família, de classe ou da comunidade mais que do indivíduo. É preciso acumular recursos, em cooperação com outros, ao longo de gerações. E sem recursos, os indivíduos, homens ou mulheres, vêem-se oprimidos por distúrbios econômicos, desastres naturais, falhas do governo e crises pessoais. Muitos deles convivem diariamente com as frustrações da carência. Não podem contar com um apoio constante e significativo da família ou comunidade. Muitas vezes estão fugindo da família, classe ou comunidade, procurando novas vidas e novas identidades neste novo mundo. Se conseguem fugir, nunca olham para trás; se são obrigados a voltar, é provável que encontrem as pessoas que deixaram numa situação em que mal podem sustentar a si mesmas. Essas são as emoções da pós-modernidade, que muitas vezes também são o começo de uma triste história – ou, melhor, de uma série de histórias tristes que se assemelham mas não têm relação entre si.

Considerem-se por um momento os grupos culturais (étnicos, raciais e religiosos) que constituem nosso multiculturalismo supostamente ferrenho e divisório. Todas essas associações são voluntárias, com um núcleo de militantes, ativistas e crentes e uma vasta periferia de homens e mulheres mais passivos que são, na verdade, passageiros culturais clandestinos. Essas pessoas reivindicam uma identidade (ou mais de uma) pela qual não pagam com dinheiro, tempo nem energia. Quando estão em dificuldades, procuram a ajuda de homens e mulheres com uma identidade semelhante à deles. Mas a ajuda é incerta, pois essas identidades são em sua maior parte imerecidas, desprovidas de profundidade. Indivíduos descomprometidos não são membros confiáveis. Não existem fronteiras ao redor de nossos grupos culturais e, portanto, nenhuma polícia para guardá-las. Os homens e mulheres são livres para participar ou não quando quiserem, para ir e vir, retirar-se totalmente ou desaparecer nas periferias. São livres para misturar-se e mesclar-se com culturas diferentes, para explorar e transpor todas as fronteiras. Essa liberdade, repito, é uma das vantagens de uma sociedade imigrante; mas, ao mesmo tempo, não cria associações fortes ou coesas. Em última análise, não tenho certeza de que crie indivíduos fortes e autoconfiantes.

As taxas de abandono da identidade e associação culturais pela busca pessoal da felicidade (ou pela procura desesperada de sobrevivência econômica) são tão altas nos dias de hoje que todos os grupos se preocupam com formas de controlar a periferia e garantir o próprio futuro. Estão sempre levantando fundos, recrutando, lutando para conseguir trabalhadores, aliados e defensores; pregando contra os perigos da assimilação, do casamento misto e da aceitação ou passividade. Sem nenhum poder coercitivo e incertos quanto à própria força persuasiva, alguns dos grupos exigem programas governamentais (direitos específicos ou sistemas de quotas) que os ajudem a forçar seus próprios membros a entrar na linha. De seu ponto de vista, a verdadeira alternativa à tolerância multicultural não é um americanismo forte e substantivo (como se os Estados Unidos fossem um Estado-nação do velho mundo), mas um individualismo vazio ou preenchido ao acaso, um grande acúmulo de detritos humanos desprendendo-se de cada centro criativo.

Essa, repito, é uma perspectiva unilateral da liberdade individual no seio de uma sociedade imigrante, mas não é absolutamente incorrigível. Apesar das aparências, o conflito crucial na vida norte-americana de hoje não se situa entre o multiculturalismo e alguma espécie de hegemonia ou singularidade cultural, nem entre o pluralismo e a unidade ou entre o múltiplo e o único. Convivemos, em vez disso, com um conflito tipicamente modernista e pós-modernista entre a multiplicidade de grupos e a multiplicidade de indivíduos. E nesse conflito nossa única escolha é afirmar o valor de ambos os lados. Os dois pluralismos fazem os Estados Unidos ser o que são, ou às vezes são, e fixam o modelo do que deveriam ser. Tomados juntos, mas apenas juntos, são perfeitamente coerentes com uma cidadania democrática comum.

Considerem-se agora os indivíduos cada vez mais dissociados da sociedade norte-americana contemporânea. Certamente deveríamos nos preocupar com os processos que produzem a dissociação e que são por ela produzidos (mesmo sabendo que esses processos são, pelo menos em parte, emancipatórios)[4]:

- a elevada taxa de divórcios, em crescimento constante até pouco tempo atrás, quando parece ter-se estabilizado;

---

4. A maior parte da informação da lista que segue provém do Serviço do Censo dos Estados Unidos, *Statistical Abstract of the United States: 1994,* 114ª ed. (Washington D.C., 1994). Ver também o proveitoso livro *U/S: A Statistical Portrait of the American People*, de Andrew Hacker (Nova York: Viking, 1983).

- o número ainda crescente de filhos sendo criados por mães solteiras, muitas vezes assustadoramente jovens;
- o aumento recente de casos de abuso e abandono de crianças;
- o número crescente de pessoas que moram sozinhas (naquilo que o censo chama de "domicílios de solteiros");
- o declínio do número de afiliações – em sindicatos; nas igrejas mais antigas e estabelecidas (emboras as igrejas e seitas evangélicas estejam crescendo); e em sociedades filantrópicas, organizações de pais e mestres, e clubes de bairro;
- o declínio de longa data nos índices de votação e de fidelidade partidária (que aparece em sua forma talvez mais dramática nas eleições locais);
- a elevada taxa de mobilidade geográfica, que mina a coesão da vizinhança;
- o aparecimento repentino de homens e mulheres sem teto; e
- a onda crescente de violência gratuita.

A aparente estabilização dos elevados níveis de desemprego e subemprego entre jovens e grupos minoritários intensifica todos esses processos e agrava seus efeitos. O desemprego fragiliza os vínculos familiares, separa os trabalhadores de seus sindicatos e grupos de interesse, esgota os recursos da comunidade, gera alienação política e retraimento, e aumenta a tentação do crime. O velho ditado sobre o ócio como pai dos vícios não é necessariamente verdadeiro, mas torna-se verdadeiro sempre que a desocupação é uma condição que não foi escolhida espontaneamente.

Estou inclinado a pensar que esses processos são, comparativamente, mais preocupantes que a cacofonia multicultural – pelo menos porque, numa sociedade

democrática, a ação em comum é melhor que o retraimento e a solidão, o tumulto é melhor que a passividade, e os objetivos partilhados (mesmo quando não
os aprovamos) são melhores que a apatia privada. Além
disso, provavelmente também é verdade que muitos
desses indivíduos dissociados estejam disponíveis para
algum tipo de mobilização de extrema direita, ultra-
nacionalista, fundamentalista, ou xenófoba, que as sociedades democráticas, se possível, devem evitar. É
natural que existam hoje autores afirmando que o
multiculturalismo em si é o produto dessas mobiliza-
ções. Aos olhos deles, a sociedade norte-americana
está à beira não só da dissolução mas também de uma
guerra civil "bósniana"[5]. De fato, tivemos, até agora,
apenas indícios de uma política abertamente chauvinis-
ta e racista. Mais norte-americanos estão envolvidos
em cultos religiosos esquisitos do que em grupos políticos de extrema direita (embora as duas coisas muitas vezes se sobreponham). Estamos num ponto em
que ainda podemos, sem riscos, fazer com que o pluralismo dos grupos venha resgatar o pluralismo dos
indivíduos dissociados.

Os indivíduos são mais fortes, mais confiantes,
mais compreensivos quando participam da vida comum, quando são responsáveis perante e por outras
pessoas. Sem dúvida essa relação não se confirma em
todos os tipos de vida em comum. Não estou reco-
mendando cultos religiosos esquisitos – embora mesmo estes devam ser tolerados, dentro dos limites que

---

5. Essa é uma forma exagerada do argumento de Arthur M.
Schlesinger, Jr. *The Disuniting of America* (Nova York: Norton, 1992),
mas não do que veio após sua publicação – pelo rádio e televisão,
nas colunas e editoriais de jornais, em revistas e assim por diante.

forem estabelecidos por nossas idéias acerca de cidadania e direitos individuais. Talvez os homens e mulheres que conseguem passar por esses grupos saiam reforçados pela experiência, educados para uma experiência mais modesta de vida em comum. Pois é apenas no contexto de uma atividade associativa que o indivíduo aprende a deliberar, discutir, tomar decisões e assumir responsabilidades. Esse é um velho argumento, usado primeiro a favor de congregações e conventículos protestantes, que serviram, pelo que dizem, como escolas de democracia na Inglaterra do século XIX, apesar dos vínculos fortes e exclusivos que criaram e das dúvidas que muitas vezes manifestaram acerca da salvação dos infiéis[6]. Os indivíduos foram realmente salvos por sua afiliação religiosa – salvos do isolamento, da solidão, dos sentimentos de inferioridade, da habitual inação, da incompetência e de uma espécie de vazio moral – e se transformaram em cidadãos úteis. É igualmente verdade, é claro, que a Inglaterra foi salva da repressão protestante pelo forte individualismo desses mesmos cidadãos úteis: nisso consiste grande parte da utilidade deles.

Mas nenhum regime de tolerância pode ser construído com base unicamente em indivíduos "fortes", uma vez que eles são produtos da vida em grupo e, sozinhos, não reproduzirão as ligações que propiciaram sua força. Assim, precisamos preservar e ampliar os vínculos associativos, mesmo sabendo que esses vínculos ligarão alguns de nós a alguns outros, e não todos nós a todos os outros. Há muitas maneiras de

---

6. A. D. Lindsay, *The Modern Democratic State*, vol. 1 (não houve um segundo volume) (Londres: Oxford University Press, 1943), cap. 5.

fazê-lo. A primeira e a mais importante dentre elas são as medidas políticas do governo que criam empregos e garantem e apóiam a sindicalização do trabalhador. Pois o desemprego é provavelmente a forma mais perigosa de dissociação, e os sindicatos não são apenas bases de treinamento para política democrática mas também instrumentos de "equilíbrio de poder" na economia e de solidariedade local e ajuda mútua[7]. Importância praticamente igual têm os programas que reforçam os laços da vida familiar, não apenas em suas versões convencionais mas também nas não-convencionais – em qualquer versão que produza relacionamentos estáveis e estruturas de apoio.

Quero, porém, focalizar de novo as associações culturais, pois estas é que são consideradas tão ameaçadoras hoje em dia. Quer me parecer que é a fraqueza dessas associações, não sua força, que ameaça nossa vida comum. Um motivo do declínio dos sindicatos nos Estados Unidos de hoje é o virtual desaparecimento de uma cultura distintiva da classe operária – ou, melhor, de um conjunto de culturas da classe operária (irlandesa, italiana, eslava, escandinava e assim por diante) que tornaram o radicalismo trabalhista possível no fim do século XIX e início do século XX. Homens e mulheres precisam de vínculos associados à língua e à memória, a rituais familiares de celebração e luto, a práticas comuns, até mesmo a jogos e canções comuns, se quiserem trabalhar juntos por um longo tempo. A religião civil propicia alguns desses vín-

---

7. Ver John Kenneth Galbraith, *American Capitalism: The Concept of Countervailing Power* (Boston: Houghton Mifflin, 1952), e Richard B. Freeman e James L. Medoff, *What Do Unions Do?* (Nova York: Basic Books, 1984).

culos aos cidadãos como um todo, mas a vitalidade e disciplina de uma sociedade imigrante depende das conexões mais fortes fornecidas pelos grupos que a constituem. Assim, precisamos de mais associações culturais, não de menos, e também de associações mais rigorosas e coesas, com uma gama mais ampla de responsabilidades.

Associações dessa espécie não são os objetos de tolerância numa sociedade imigrante, mas podem ser vistas como os objetos – ou melhor, como os fins – da política governamental. Considere-se, por exemplo, o conjunto atual de programas federais – incluindo isenções de impostos, subvenções de contrapartida, subsídios e cessões de direitos – que capacitam comunidades religiosas a administrar seus próprios hospitais, asilos para idosos, escolas, creches e outros serviços. Aqui estão sociedades de bem-estar social no seio de um Estado social norte-americano descentralizado (e ainda inacabado). Usa-se dinheiro do contribuintes para apoiar contribuições de caridade de modo que reforce os modelos de assistência mútua e de reprodução cultural que surgem espontaneamente no âmbito da sociedade civil. Mas esses modelos precisam ser muito expandidos, porque a cobertura de hoje é radicalmente desigual. E mais grupos precisam entrar no negócio da provisão de assistência social: grupos raciais e étnicos assim como religiosos (e por que não também sindicatos, cooperativas e corporações?).

Precisamos descobrir outros programas que permitam a ação indireta do governo no apoio a indivíduos que atuam diretamente nas comunidades locais. Esses programas poderiam incluir "escolas reconhecidas" projetadas e administradas por pais e mestres; autogestão de inquilinos e cooperativas para compra de casa própria; experimentos com trabalhadores como proprietários e controladores de fábricas e companhias; projetos da comunidade local para a construção civil, limpeza pública e prevenção do crime; organização local de museus, centros para a juventude, estações de rádio e associações atléticas. Programas como esses muitas vezes irão criar e ampliar comunidades de bairro, e gerar conflitos quanto aos orçamentos públicos e lutas locais visando ao controle do espaço político e das funções institucionais. Lembremo-nos de que a tolerância não é uma fórmula para a harmonia. Ela legitima grupos anteriormente invisíveis ou reprimidos e assim lhes permite competir pelos recursos disponíveis. Mas a presença desses grupos, com sua força, também aumentará a extensão do espaço político e o número e a abrangência das funções institucionais e, portanto, as oportunidades de participação individual. Indivíduos participantes, com uma noção cada vez maior de sua eficiência, são nossa melhor proteção contra o bairrismo e a intolerância dos grupos de que participam.

Homens e mulheres engajados tendem a ser muito engajados – atuando em muitas associações diferentes quer no âmbito local quer no nacional. Essa é uma dos descobertas mais comuns de sociólogos e cientistas políticos (e uma das mais surpreendentes: onde é que essa gente acha tempo?)[8]. É bom explicar por que o engajamento funciona, numa sociedade pluralista, para solapar ideologias e programas políticos racistas e chauvinistas. As mesmas pessoas se apre-

---

8. Gabriel A. Almond e Sidney Verba, *The Civic Culture: Political Attitudes and Democracy in Five Nations* (Princeton, N.J.: Princeton University Press, 1963), esp. cap. 10.

sentam para reuniões sindicais, projetos locais, debates políticos, comissões de igrejas, e – pode-se esperar – nas cabines eleitorais. São, na maioria, cidadãos articulados, opinativos, habilidosos, autoconfiantes e muito constantes em seus compromissos. Uma misteriosa combinação de responsabilidade, ambição e vontade de intrometer-se leva-os de uma reunião a outra. Todos se queixam (isto é, todos eles se queixam) de que são tão poucos. Será que seu número reduzido é uma qualidade inevitável da vida social, de modo que o aumento de associações esgarçaria a malha formada por essas pessoas competentes tornando-a cada vez mais frágil? Suspeito de que os economistas defensores da teoria da demanda tenham uma explicação melhor para o "capital humano". Multiplique-se a demanda de pessoas competentes, e elas irão aparecer. Multipliquem-se as oportunidades de ação comunitária, e os ativistas irão emergir para agarrá-las. Alguns dentre eles serão, sem dúvida, tacanhos de espírito e fanáticos, interessados unicamente no avanço do próprio grupo; mas quanto maior for seu número e quanto mais diversificadas suas atividades, tanto menor será a probabilidade de que a tacanhice e o fanatismo venham a prevalecer.

Um certo tipo de estridência é uma característica daquilo que algum dia talvez venhamos a reconhecer como multiculturalismo *primitivo*; ela é especialmente evidente entre os grupos mais novos e mais fracos, mais pobres e menos organizados, onde a privação econômica anda de mãos dadas com a condição minoritária – onde a classe é, não inteiramente mas em grande parte, uma função da raça e da cultura. Essa estridência é o produto de um período histórico em que a igualdade social prometida (e, em parte, propiciada) por nosso regime de tolerância se vê continuamente solapada pela desigualdade econômica.

Organizações mais poderosas, capazes de angariar recursos e oferecer a seus membros benefícios concretos, farão com que esses grupos caminhem aos poucos na direção de uma tolerância mútua e de uma política democraticamente inclusiva. Sem dúvida há tensões entre membros de grupos e cidadãos, entre interesses particulares e o interesse comum, mas também há uma continuidade concreta entre eles. Cidadãos comprometidos com o interesse comum não nascem do nada. Eles sãos os membros de grupos conscientes da aposta que fizeram no país como um todo, apostando primeiramente no próprio regime de tolerância e depois nas políticas mais abrangentes do regime. E assim almejam participar das decisões nacionais.

Lembremo-nos de que isso já aconteceu antes, durante o conflito étnico e de classe. Quando os grupos se consolidam, o centro segura a periferia e a transforma em eleitorado político. Desse modo, os militantes dos sindicatos, por exemplo, começam fazendo piquetes e participando de comissões de greve e depois progridem e passam a integrar a diretoria da escola e o conselho municipal. Ou então ativistas étnicos e religiosos começam defendendo os interesses de sua própria comunidade e terminam em coalizões políticas, brigando por um lugar numa chapa "de consenso" e falando (no mínimo) sobre o bem comum. A coesão do grupo fortalece seus membros, e a ambição e mobilidade dos membros mais vigorosos liberaliza o grupo.

Alguns desses membros deixarão seus grupos para juntar-se a outros, ou abraçarão complicadas carreiras transculturais. Agarrarão com firmeza as oportunidades de dissociação e mesclagem. Agirão como indivíduos radicalmente livres, perseguindo seus próprios interesses materiais e espirituais. Mas, quando atuarem num contexto de força grupal, serão também agentes de inovação da cultura e de aprendizagem mútua. Os vagabundos pós-modernos, quando convivem lado a lado com membros e cidadãos, sem tomar-lhes o lugar, dificilmente acabarão falando sozinhos, numa autoabsorção sem fim. Eles tomarão parte de conversações interessantes.

Essas conversações deveriam acontecer em todo lugar, mas talvez sobretudo nas escolas públicas (e nas universidades e faculdades públicas e particulares), que historicamente têm sido marcadas, pelo menos nos principais centros de imigração, por uma modalidade de associação integradora. As escolas públicas juntam os filhos de pais comprometidos com diferentes comunidades étnicas e religiosas – bem como os filhos de pais que abandonaram ou estão abandonando esses compromissos. Sendo elas supostamente neutras no que se refere a comunidades e membros que as abandonaram, as escolas devem oferecer um relato compreensivo da história e filosofia de nosso regime de tolerância, relato que não pode deixar de especificar as particularidades de suas origens (protestantes ingleses). Elas devem ensinar a religião civil norte-americana visando a produzir cidadãos norte-americanos, e assim irão fatalmente desafiar as comunidades culturais em cujo seio esse tipo de cidadania é desconhecido.

Será que as escolas públicas deveriam fazer mais que isso? Deveriam ajudar as crianças a fugir de suas comunidades para vagar por conta própria pelo mundo da cultura? Deveriam ter como objetivo a produção de mais vagabundos? É com certeza uma tentação imaginar a educação democrática como um treinamento para o pensamento crítico, de modo que os alunos possam fazer uma avaliação independente, de preferência cética, de todos os sistemas de crença e práticas culturais estabelecidos. Pois não são os críticos os melhores cidadãos?[9] Talvez sim. De qualquer modo, precisamos de um número maior de críticos. E, no entanto, talvez eles não sejam os concidadãos mais tolerantes; talvez não se resignem ou não fiquem indiferentes às lealdades bairristas de seus pares – ou talvez nem as aceitem estoicamente. As democracias necessitam de críticos que tenham a virtude da tolerância, o que provavelmente significa críticos com lealdades próprias e alguma noção do valor da vida associativa. As escolas podem ajudar a atender a essa última necessidade, reconhecendo a pluralidade de culturas e ensinando algo sobre os diferentes grupos (mesmo sem fazer uma análise crítica: a experiência da diferença por si só encoraja a crítica mútua). Isso porque o sistema estatal deveria ter um segundo objetivo, que é inteiramente compatível com o primeiro: produzir cidadãos hifenizados, homens e mulheres que defenderão a tolerância no seio de suas diferentes comunidades, ao mesmo tempo em que também valorizam (e repensam e revisam) as diferenças.

Não quero parecer com a famosa Poliana. Esses resultados não acontecem por acaso. Talvez nem aconteçam. Tudo agora é mais difícil: a família, a classe e a comunidade são menos coesas do que no passado; os governos e as sociedades filantrópicas controlam menos recursos; o mundo do crime e das drogas é mais

---

9. Ver argumentação em Gutmann, *Democratic Education*.

assustador, e os indivíduos, homens e mulheres, parecem mais à deriva. Há, no entanto, uma outra dificuldade que deveríamos acolher com alegria. No passado, os grupos organizados só conseguiam entrar na correnteza da sociedade norte-americana mediante o abandono de outros grupos (e dos membros mais fracos de seu grupo). E os homens e mulheres abandonados geralmente aceitavam seu destino ou pelo menos não faziam tanto barulho sobre o fato. Hoje, como argumentei, o nível de resignação é muito mais baixo, e mesmo que boa parte do barulho seja nesses casos inútil e incoerente, ainda serve para nos fazer lembrar de que existe uma agenda social mais ampla que nosso sucesso pessoal. O multiculturalismo como ideologia é um programa que visa a uma maior igualdade econômica e social. Nenhum regime de tolerância funcionará por muito tempo numa sociedade imigrante, pluralista, moderna e pós-moderna, sem a combinação destas duas atitudes: uma defesa das diferenças grupais e um ataque contra as diferenças de classe.

Se quisermos que o fortalecimento mútuo da comunidade e da individualidade sirva a um interesse comum, teremos de agir de modo político para efetivá-lo. Isso exige certas condições estruturais e contextuais que só podem ser oferecidas pela ação do Estado. A vida grupal não resgatará os indivíduos, homens ou mulheres, da dissociação e da passividade, a menos que haja uma estratégia política para mobilizar, organizar e, se necessário, subsidiar o tipo certo de grupos. E os indivíduos resolutos não diversificarão seus compromissos nem ampliarão suas ambições se não houver oportunidades – empregos, cargos e responsabilidades – acessíveis a eles no mundo mais amplo. As forças centrífugas da cultura e da individualidade só se corrigirão mutuamente se a correção for planejada. É necessário buscar um equilíbrio dessas duas forças. Isso significa que nunca podemos ser defensores consistentes do multiculturalismo ou do individualismo. Nunca podemos ser simplesmente comunitaristas ou liberais, modernistas ou pós-modernistas, mas precisamos ser ora uma coisa, ora outra, conforme o equilíbrio o exigir. Quer me parecer que o melhor nome para esse equilíbrio em si – o credo político que defende a estrutura, apóia as formas necessárias da ação do Estado, e assim preserva os modernos regimes de tolerância – é a democracia social. Se o multiculturalismo hoje traz mais problemas do que esperanças, isso em parte ocorre por causa da fragilidade da democracia social (neste país, liberalismo de esquerda). Mas essa é uma história diferente, mais longa.

Agradecimentos

Este livro tem uma história complicada. Começou como uma palestra com patrocínio da *Unione Italiana del Lavoro*, delineando os cinco "regimes de tolerância", proferida em Palermo e repetida em Florença e depois novamente num congresso sobre nacionalismo, organizado por Robert McKim e Jeff McMahan na Universidade de Illinois (os anais do evento serão publicados pela Oxford University Press). Durante certo tempo viajei proferindo a palestra e recebi proveitosos comentários e algumas críticas incisivas de amigos e colegas da Itália, Canadá, Inglaterra, Alemanha, Áustria, Holanda e Estados Unidos. Embora não me seja possível mencionar aqui as numerosas pessoas que me ajudaram a pensar sobre os problemas da tolerância ao longo do percurso, sou grato a todas elas. Algumas são mencionadas de modo mais específico nas notas finais.

Comecei a expandir a palestra para discutir os comentários recebidos e em seguida escrevi um trabalho paralelo, publicado em *Dissent* (primavera de 1994) sob o título de "Multiculturalismo e Individualismo", tratando de como a tolerância "funciona" nos Estados Unidos. Discussões com colegas e professores visitantes do Instituto de Estudos Avançados de Princeton levaram-me a revisar a palestra bem como o artigo. A comissão das Palestras Castle me deu a excelente oportunidade de juntar os dois trabalhos e testar sua coerência ante uma platéia engajada e entusiasmada na Universidade de Yale. Ian Shapiro cuidou de minha visita a New Haven e incentivou-me a pensar neste livro *como* livro. Leitores da Yale Universty Press providenciaram um conjunto final de comentários e críticas. Três leitores, Jane Mansbridge, Susan Okin e Bernard Yack fizeram questão de manter-se no anonimato e por isso aproveito a oportunidade para expressar-lhes aqui meus agradecimentos. Este livro seria sem dúvida melhor (mas também mais extenso) se eu tivesse atendido a todos eles.

Índice remissivo

IMPRESSÃO E ACABAMENTO

YANGRAF

GRÁFICA E EDITORA LTDA.
TEL/FAX.: (011) 218-1788
RUA: COM. GIL PINHEIRO 137